最小限の手間で
マクロが使えるようになる!

楽（ラク）して仕事を効率化する

Excelマクロ
入門教室

古川順平
Junpei Furukawa

SB Creative

本書は、2016年2月に刊行された『かんたんだけどしっかりわかるExcelマクロ・VBA入門』
(ISBN978-4-7973-8607-3) の内容を改訂・補完したものです。

本書に関するお問い合わせ

この度は小社書籍をご購入いただき誠にありがとうございます。小社では本書の内容に関するご質問を
受け付けております。本書を読み進めていただきます中でご不明な箇所がございましたらお問い合わせ
ください。なお、お問い合わせに関しましては下記のガイドラインを設けております。恐れ入りますが、
ご質問の際は最初に下記ガイドラインをご確認ください。

ご質問の前に

小社Webサイトで「正誤表」をご確認ください。最新の正誤情報をサポートページに掲載しております。

▶ **本書サポートページ**

URL https://isbn2.sbcr.jp/21346/

上記ページの「正誤情報」のリンクをクリックしてください。なお、正誤情報がない場合は、リンクをク
リックすることはできません。

ご質問の際の注意点

・ご質問はメール、または郵便など、必ず文書にてお願いいたします。お電話では承っておりません。

・ご質問は本書の記述に関することのみとさせていただいております。従いまして、○○ページの○○
　行目というように記述箇所をはっきりお書き添えください。記述箇所が明記されていない場合、ご質
　問を承れないことがございます。

・小社出版物の著作権は著者に帰属いたします。従いまして、ご質問に関する回答も基本的に著者に確
　認の上回答いたしております。これに伴い返信は数日ないしそれ以上かかる場合がございます。あら
　かじめご了承ください。

ご質問送付先

ご質問については下記のいずれかの方法をご利用ください。

▶ **Webページより**
上記のサポートページ内にある「お問い合わせ」をクリックすると、メールフォームが開きます。要
綱に従って質問内容を記入の上、送信ボタンを押してください。

▶ **郵送**
郵送の場合は下記までお願いいたします。

〒106-0032　東京都港区六本木2-4-5　SBクリエイティブ　読者サポート係

はじめに

　Excelを使った売り上げデータの入力・集計等の日々のルーチンワークに手間と時間を割かれて、「これ、もっと手早く済ます方法ないかな?」と頭を悩ませてはいませんか?　また、Excelでは処理を自動化・効率化できる仕組みがあると聞いたことはありませんか?

　Excelでは**マクロ**という仕組みを使うと、時間のかかる業務を短時間で済ますことができるのです。非常に便利なものなので、既に皆様の周囲で活用されている方も多くいらっしゃるかもしれません。

　実際のところ、世の中には、いろいろな業務をこなすうえで便利なマクロのサンプルがたくさん公開されています。自分でいちいちマクロを作らなくても、マクロの使い方さえ覚えておけば、「**それらのサンプルを利用して自動化・効率化の恩恵を得ることができる**」と言ってもよいでしょう。

　しかし、サンプルは必ずしも「そのまま使える」ものばかりではありません。「**ここをちょっと変えることができれば自分の業務でも使えるのに**」というケースにぶつかることも少なくありません(むしろ、そちらの方が多いはずです)。

　そんな時は「VBA」の出番です。VBAを覚えれば、既存のマクロを「ちょっと変える」ことができるようになります。本書はそんな、「**既存のマクロを自分の業務内容に合うようにちょっと変える**」ために必要なVBAの知識を、2人の登場人物と共に学んでいただけます。

　本書は、次のような人に読んでもらいたい本です。

① **日々のルーチンワークの多さに悩まされていて、自動化・効率化の方法を探している人**
② **便利なマクロを使ってみたいけれど、使い方がわからない人**
③ **Webや書籍から入手した「そのまま」では使えないマクロを、自分の目的に合わせてカスタマイズする方法が知りたい人**
④ **VBAを駆使する開発者を目指すわけではないけれど、VBAの基礎を学びたい人、VBAのマクロを書きたい人**

　また、マクロを素早くカスタマイズする際に意識しておきたい勘所や、変更の必要な箇所・変更しなくていい箇所の見極め方、知っておきたい知識をまとめて紹介し、さらには、手を動かして実際にカスタマイズを行えるようなサンプルをいくつか用意してあります。

　本書が、あなたの仕事の効率化につながれば幸いです。

2023年6月　古川順平

この本を読むにあたって

　本書では、簡単かつ手軽にマクロを使えるようになるための知識を解説しています。マクロの仕組みからカスタマイズの方法まで、基礎から順を追って学習を進められるようになっています。

　最初に、「**手っ取り早くマクロというものがどんなものかを理解・体験したい**」という方のために、実際に「マクロの実行・修正」を体験していただきます。その後、マクロを自分の業務に合わせるために、「**どこを修正すればよいのか**」「**どうやって修正すればよいのか**」を理解するための仕組みやポイントに関する知識を紹介します。

　そして、学んだ知識を元に、実際にサンプルを修正する作業を行っていただきます。**業務においてよくある作業**や**自動化できると作業時間が劇的に短縮できる作業**、そして、仕事をする際に「**自分の仕事にとって、あると便利なちょっとした機能**」の活用の仕方なども紹介します。

　また、本書のテーマである「カスタマイズ」を行うために、「あるカスタマイズを行いたい場合には、マクロのどのような部分を注意して見ればよいのか」の勘所等を、下記のような「ポイント」としてピックアップしています。

> ❗ 操作の対象をカスタマイズするには、「○○s(××××)」「Range(××××)」
> と記述してある場所が狙い目。

　最終的には、マクロの基礎の部分を固め、その知識をお土産に、自分で**業務内容に合ったVBAプログラムの探索・修正**を行ってもらえるようになるのが本書の目的です。

さらに興味を持った方へのご案内

　本書で扱う内容は、マクロの「はじめの一歩」と言うべき内容です。これからVBAを使ってみたいという方、そして、少しマクロに触れてみたけれども、どうもよくわからないという方にとっても、**マクロの世界の歩き方**を導いてくれる案内書として活用していただけます。

　辞書みたいな分厚い書籍のように、たくさんの情報やきっちりとした仕組みの解説はできませんが、マクロの仕組みのポイントとエッセンスをサクッと理解し、活用できるような情報の提供を心がけています。本書が皆様にとって、「マクロ学習の最初のガイドブック」になることを願います。

サンプルファイルを「展開」するには

　本書では、「マクロを修正する方法」を説明・練習するために、サンプルファイルを使用します。本書のサンプルファイルは、お使いのパソコンのWebブラウザを使用し、下記のアドレスからダウンロードできます。

URL https://isbn2.sbcr.jp/21346/

　Webページ内の「サポート情報」と書かれた箇所をクリックすると、ダウンロードのリンクが表示されます。

　ダウンロードされるのは、サンプルファイルを1つにまとめた、「zip形式」のファイルです。zip形式のファイルは、そのままではExcelでは開けませんので、まとめられているファイルやフォルダーを元に戻す「展開」操作を行います（「展開」操作のことを「解凍」と呼ぶケースもあります）。

　Windows10以降をお使いの場合には、ダウンロードしたzipファイルを 右クリック してメニューを表示し、すべて展開 を選択しましょう。

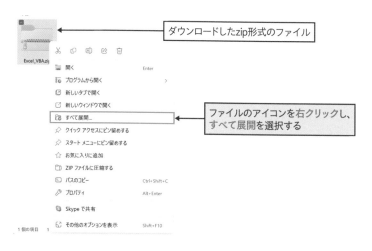

ダウンロードしたzip形式のファイル

ファイルのアイコンを右クリックし、すべて展開を選択する

　すると、どの場所にファイルを展開するのかを問い合わせるダイアログボックスが表示されるので、「デスクトップ」等の場所を指定して 展開 ボタンを押せばOKです。なお、展開が終わってもzipファイルは残りますが、必要がなければzipファイルの方は削除してしまって構いません。

サンプルファイルは各章（Chapter）ごとにフォルダーを作成して、そのなかに収録されています。サンプルファイルは、各章で使用する**Excelファイル**（拡張子「xlsx」「xlsm」）と、本文内に掲載した**コードのテキストファイル**（拡張子「txt」）で構成されています。

　また、Windowsでは、インターネット上からダウンロードしたファイルの種類によっては、セキュリティ・ブロックがかけられます。Excelのブックの場合にもこのブロックは適用され、展開しただけのブックを開こうとしても開けなかったり、「保護ビュー」と呼ばれる編集ができないモードで開かれます。普通に開けるようにするには、ダウンロードしたExcelブックを**右クリック**して表示されるメニューから、**プロパティ**を選択して表示されるダイアログボックスのなかから、**許可する**にチェックを入れたうえで**OK**ボタン（もしくは**適用**ボタン）を押します。

　この「zipファイルを展開→許可する」というテクニックは、Excelブックだけでなく、WordドキュメントやPowerPointのスライド等にも応用できますので、ぜひマスターしておきましょう。

　これで準備は完了です。さあ、マクロの学習をスタートしましょう。

Contents

CHAPTER

03 処理対象の指定方法

CHAPTER

08 VBA関数の使い方

HINT

CHAPTER

01

マクロを体験する

01-01 サンプルのマクロを実行する

コンテンツを有効化する

　まずは本書のサンプルをダウンロードし、圧縮ファイルを展開して利用できる状態にしましょう。ダウンロードや展開の方法は、5ページを参考にして下さい。展開すると、「Chapter01」フォルダー内に「**S01_HelloVBA.xlsm**」というExcelファイルがあります。これを**ダブルクリック**して開いてみましょう。

サンプルファイルを開く

ダウンロード ➡ 展開 ➡ Excelファイルをダブルクリック

`サンプルファイル` Chapter01¥S01_HelloVBA.xlsm

▼ **展開後のファイルをダブルクリックで開く**

　すると、次の図のような「セキュリティの警告」のメッセージが表示されます。マクロを使用する場合には、ここで、**コンテンツの有効化**ボタンを押します。**コンテンツを有効化**しないと、マクロは実行できません。

コンテンツの有効化

Excelファイルをダブルクリック ➡ ［コンテンツの有効化］を押す

▼ コンテンツを有効化して、マクロを実行可能にする

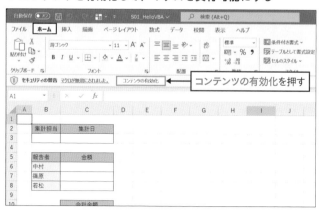

このメッセージは、ダウンロードしたサンプルにかぎらず、マクロを含んだブックならばどれでも表示されるみたいだね。どういう仕組みなの？

マクロはいろいろな処理を自動で行えるので、悪意のあるマクロ、いわゆる**マクロウィルス**をうっかり実行してしまわないような仕組みになっているのです。

なるほど、普段は実行禁止にしてあって、使う時にだけ［コンテンツの有効化］ボタンを押せばよいというわけだね。

　一度［コンテンツの有効化］ボタンを押したサンプルは、名前や保存する場所を変えたり、パソコンの電源を切ったりするまでは、警告メッセージを表示せずにマクロを利用できます。

　また、WebからダウンロードしたExcelファイルには**Webのマーク**が付けられ、そのままでは開けない場合もあります。その場合は、エクスプローラー等で該当ファイルのプロパティを表示し、Webのマークを解除して下さい（22ページ）。

🛑 マクロを使う時は、［コンテンツの有効化］を押して実行を許可しましょう。

「開発」タブを表示する

マクロを利用する際には、リボンに**「開発」タブ**を追加しておくと便利です。

メニューから、**ファイル−オプション**を選択し、「Excelのオプション」ダイアログボックスを表示します。ダイアログボックス左端の項目から、**リボンのユーザー設定**を選択し、画面右側にあるリスト内の**開発**にチェックを入れ、**OK**ボタンを押します。

するとExcel画面のリボンに、「開発」タブが追加されます。

「開発」タブの表示

[ファイル]−[オプション]を選択 ➡ [リボンのユーザー設定]を選択
➡ [開発]をチェック ➡ [OK]を押す

▼「開発」タブをリボンに追加する

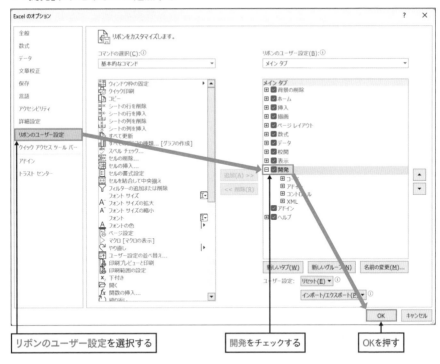

リボンのユーザー設定を選択する　　開発をチェックする　　OKを押す

「開発」タブか。知らなかったなあ。これは毎回追加しなおす必要があるの？

いいえ。一度追加しておけば、以降はそのまま使用できますよ。ちなみに、「開発」タブにはマクロの実行の他にも、確認・編集を行うための機能が集められています。「マクロ関連で何かしたい時は、とりあえず『開発』タブを見ればよい」ようになっているわけですね。

マクロを実行する

それではマクロを実行してみましょう。

開発タブを選択し、マクロボタンを押します。すると、作成されているマクロの一覧が、「マクロ」ダイアログボックスに表示されます。このなかから実行したいマクロを選択し、実行ボタンを押すと実行されます。

マクロの実行

[開発] を選択 ➡ [マクロ] を押す ➡ マクロを選択する ➡ [実行] を押す

▼「マクロ」ダイアログボックスからマクロを選択して実行する

サンプル（S01_HelloVBA.xlsm）には、仕組みを体験するためのシンプルなマクロ、「**値の集計**」と「**値の消去**」の2つが登録されています。

「集計A」シートを開いた状態でマクロ「値の集計」を実行すると、名前と日付が自動入力され、「中村報告」「篠原報告」「若松報告」という3つのシート上のセルD12に入力されている「合計」の値が転記されます。マクロ「値の消去」を実行すると、集計した内容が一括消去されます。

▼ **サンプルのマクロを実行すると、値の集計・消去が自動で行われる**

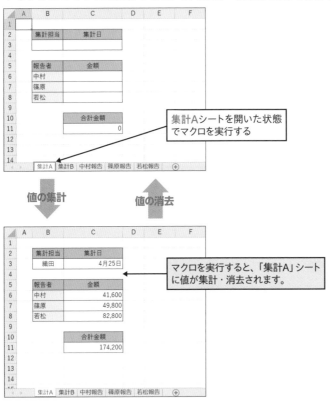

なるほど。入力や集計といった、いろんな処理がいっぺんにできるというのは便利だね。でも、いちいち「マクロ」ダイアログボックスからマクロを選ぶのは手間だなあ。

ご安心下さい。実は簡単な方法が用意されています。サンプルの2つ目のシート、「集計B」を見て下さい。

どれどれ？　あ、ボタンが用意されているね。ということはこれを押せば…。

そうです。ボタンに登録されたマクロが実行されます。登録方法は、141 ページで紹介します。他にも、ショートカットキーとして登録する方法（171 ページ）も用意されていますよ。

▼ マクロはボタンを使って実行することもできる

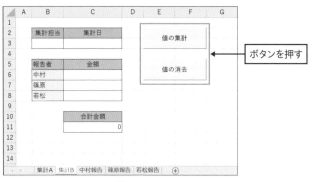

ボタンを押す

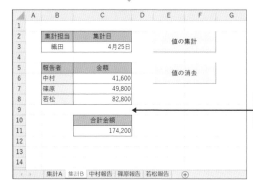

ボタンに登録されたマクロが実行されて、 値が集計・消去されます。

マクロを実行する方法

- マクロを含むブックを開き、［コンテンツの有効化］ボタンを押す。

- リボンの「開発」タブから「マクロ」ダイアログボックスを開き、実行したいマクロを選択する。

- ワークシート上に配置したボタンやショートカットキーにマクロが登録されている場合には、そこからでも実行できる。

HINT 「Webのマーク」の解除方法と回避方法

インターネット経由で入手したサンプルブックを開こうとしたら、警告メッセージが出て開けなかった、なんてことはありませんか？

実はこの手のファイルには「これはインターネット経由で入手したファイルですよ」ということを示す**Webのマーク**（Mark Of The Web ／ MOTW）という印がつけられています。Officeアプリケーションでは、MOTWが付いているファイルを開く際「このファイル開いちゃって大丈夫？」とセキュリティ制限をかけるようになっています。

● Webのマークの確認・解除方法

エクスプローラー等で該当ファイルに対し、**右クリック**→**プロパティ**等の操作で「プロパティ」ダイアログボックスを表示し、**全般**欄の最下段を見てみましょう。

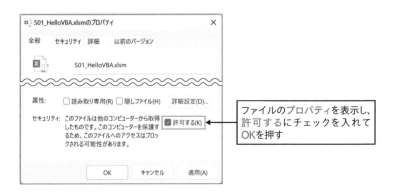

ファイルのプロパティを表示し、許可するにチェックを入れてOKを押す

図のようなメッセージと共に、「許可する」チェックボックスが表示されているかと思います。これがMOTWです。**許可する**にチェックを入れて**OK**ボタンを押すと、MOTWを解除できます。

● 「信頼できる場所」でまとめて回避

また、Excelのオプションダイアログの**トラストセンター**の**信頼できる場所**からは、「このフォルダー内に入れたブックはMOTWが付いたままでも信頼して開いていいですよ」という**信頼できる場所**（フォルダー）の設定が可能です。興味のある方は、こちらの方法も調べてみて下さい。

なお、Microsoft社提供の「信頼できる場所」に関する情報は下記Webページで公開されています。

Office ファイルの信頼できる場所に関する情報
https://learn.microsoft.com/ja-jp/deployoffice/security/trusted-locations

01-02 マクロの中身を確認する

VBEを表示する

　マクロを体験できたところで、次は、このマクロがどのように作成されているのかを確認してみましょう。

「開発」タブやボタンからマクロが実行できることはわかったけど、中身を確認したり修正するにはどうすればいいの？

マクロの確認や修正には、「VBE」と呼ばれる専用の画面を利用します。実際に一度見てみましょう。

　開発タブの左端にある、**Visual Basic**ボタンを押します。すると、**VBE**（Visual Basic Editor）が表示されます。

VBEの表示

[開発] を選択 ➡ [Visual Basic] を押す

▼ **VBEを表示して、マクロの中身を確認する**

❶ マクロの中身の確認や変更は、VBEで行います。

マクロの中身を表示する

　図を参考に、VBE内の「**標準モジュール**」というフォルダー内に配置されている、「**Module1**」を**ダブルクリック**して下さい。すると、画面右上にマクロの中身が表示されます。

▼VBE 画面にマクロの中身を表示する

Module1をダブルクリックする

マクロの中身が表示されます。

何やら英語みたいなものが書かれているね。これが今実行したマクロの正体というわけだね。

そうです。Excelでは、VBEを使ってマクロの内容を確認・修正していきます。ちなみに、VBE画面を閉じるには、右上の×ボタンを押します。

なるほど。でもこれの書き方を覚えなくちゃいけないのか。大変そうだなあ。

確かに全部覚えようとすれば大変ですけど、必要なものに絞ればそんなに大変ではありませんよ。その辺りは順番に説明していきますね。まずは、「**マクロはVBEを使って確認・修正できる**」ということだけを覚えておきましょう。

わかった。「VBE」だね。

VBEを表示するには**Alt**＋**F11**キーを押してもOKです。VBEが表示されている場合に同じく**Alt**＋**F11**キーを押すと、今度はExcel画面が表示されます。

マクロの中身を確認する方法

- リボンの「開発」タブから［Visual Basic］ボタンを押して、VBEを表示する。
- 「標準モジュール」フォルダー内にある「Module1」をダブルクリックする（「Module1」という名前は変更されている場合もある）。

HINT VBEからマクロを実行する

VBEでマクロの確認・修正作業を行う際に、いちいちExcelの画面に戻らずにマクロを実行できる方法があります。

VBEの画面上でマクロ内の任意の箇所をマウスで**クリック**し、ツールバーの**実行**ボタンを押します。これでクリックしたマクロが実行されます。

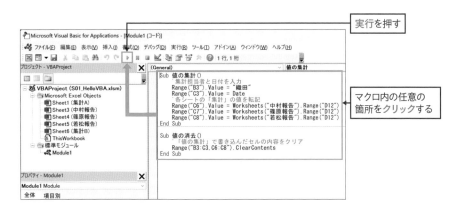

実行を押す

マクロ内の任意の
箇所を**クリック**する

01-03 マクロでできることを理解する

マクロでできること

　マクロを使うと、**計算が自動でできる**ことはわかりました。もう少し具体的に、何ができるかを見ていきましょう。

　マクロを使ってできることを整理していきます。

手作業で行っている Excel 機能の自動化

- 値の入力
- グラフの作成
- データの集計
- データの抽出・転記 等

先輩は毎日、Excelで見積もりや注文・請求書、業務報告の集計や売り上げの分析等の業務を行っていますよね。

うん、そうだね。

日々繰り返す業務は、ある程度作業のパターーンが決まっているかと思います。このようなExcel上で行う通常作業はマクロで自動化できます。

入力して、罫線を引いて、印刷をする等の一連の操作を、ボタン1つで済ませることができるわけだね。

シンプルな操作の自動化だけでなく、**セルの値や日付・時間に応じて処理の内容を切り替える等**、人間が判断しなくてはならない作業の自動化も可能です。

修正等の判断が必要な作業の自動化

- セルの値のチェック
- セルの値に応じた作業の選択
- 日付や時間に応じた作業の選択 等

そうなんだ。じゃあ、入力した値が妥当かどうかのチェックもやってくれるのかな？

値を判定したうえで、修正や統一する作業の自動化も、マクロの得意分野です。

さらにもう1つ付け加えるのであれば、**大量の○○をいっぺんに処理する**という作業も得意です。

大量の繰り返し作業を自動化

- 指定したセル範囲すべてに対して作業を行う
- 指定したシートすべてに対して作業を行う
- 複数のブックに対して作業を行う

うんうん。あるんだよねえ。難しいというわけではないけれど、数をこなさないといけない作業が。

はい。そういう作業こそ、マクロの便利さが最も発揮できる分野と言えます。

書き換えで処理が変わる

マクロを使うといろいろ便利になりそう、ということはわかったよ。だけどやっぱり問題になるのは、マスターできるかなんだよなあ。マクロの勉強に時間がかかりすぎて、かえって仕事が遅くなったりしたら本末転倒だからね。

その点はご安心を。Excelのマクロというのは、学習しやすさも魅力の1つなのです。しかも、既に多くの方が使用しているので、たいていのケースはお手本になるようなサンプルが、Webや書籍から見つけられます。それらのサンプルを、**自分の仕事に合わせてちょっと書き換えられるようになるだけで**、ぐっと仕事の効率をアップできますよ。

なるほど。お手本があるなら安心だね。

マクロでできること

- 手作業で行っている機能の自動化
- 判断が必要な作業の自動化
- 大量の繰り返し作業の自動化
- マクロはサンプルを参考に学習・修正して利用できる

HINT 文字と文字列と数値

　Webや書籍でマクロ（あるいはVBA）について調べていると、「文字列」という言葉を見かけることが多くあります。

　マクロやVBAの世界では通常、複数の文字がつらなった状態を**文字列**、文字が1つだけの状態を**文字**と呼んでいます。本書でも、この呼び方に合わせていきます。

　また、計算等に使用する値は**数値**という呼び方をしていきます。

01-04 マクロとVBAの関係を理解する

VBAとは

　マクロを使用・学習していく際に、よく**VBA**という言葉を見かけます。このVBAとマクロの関係を整理してみましょう。

Webや書籍を見ていると、「**マクロで自動化**」と言っている場合もあれば、「**VBAで自動化**」と言っている場合もあるよね。この2つは同じものなの？

ほとんどのケースでは、「Excelの操作を自動実行する仕組み」という意味で「マクロ」と「VBA」という言葉を使っています。文脈にもよりますが、同じ意味と考えても差し支えないですよ。

へえ。じゃあ厳密に言うと違うものなのかな？

　実は、「マクロ」機能というのはExcelだけにあるものではありません。Excel以外の画像編集ソフトやワープロソフト等でも、一連の操作をまとめて行う機能が「マクロ」と呼ばれています。「1つひとつの小さな操作（ミクロな操作）」を、「まとめて実行できるひとかたまりの大きな操作（マクロな操作）」として実行できる機能全般が**マクロ**であるというように考えられます。

　そして、そのマクロな操作の内容をプログラムとして記述する際には、ソフトごとに決まった記述ルール（プログラミング言語）を使用します。Excelの場合、その記述ルールが**VBA**というわけです。

なるほど。**マクロ機能の内容を書く際の記述ルールがVBA**というわけか。

そういうわけです。ただ、先ほども言いましたが、ほとんどの場合は「マクロ」でも「VBA」でも、「あ、自動化のことを言っているのだな」くらいで捉えてOKですよ。というわけで、先輩にはこれからマクロを扱うためのVBAの記述・修正方法を紹介していきますね。

ああ、よろしくお願いします。

マクロとVBAの関係

- 「マクロ」はExcelの機能の1つ。まとめて行いたい操作をプログラムとして記述することで、そのプログラム通りの手順で操作を自動実行できる。
- 「VBA（Visual Basic for Applications）」はマクロ機能を使用する際に利用するプログラミング言語。Excelでマクロ機能を利用する際には、VBAのルールに従ってプログラムを記述していく。

HINT 入力は半角英数字が基本

VBAの内容は、基本的には半角の英数字で入力していきます。全角の英数字や全角スペースを使って入力した場合には、1行入力し終えて**Enter**キーを押した時点で、自動的に半角の英数字と半角のスペースに修正されます。

また、VBAにあらかじめ命令文として用意された単語（予約語）を入力した場合には、すべて小文字で入力していても、自動的に予約語に応じた位置の文字が大文字に変換されます（たいていは先頭が大文字になります）。上記の図で言うと、「Dim」「As」「String」という単語は予約語なので、先頭の文字が自動的に大文字になっています。

では、マクロ内で日本語が使えないのかというと、そうではありません。マクロ名やセルに入力する値、コメント（42ページ）や変数名（104ページ）といった箇所には日本語が使用できます。

CHAPTER

02

マクロの編集方法

02-01

マクロの中身をコピーする

「標準モジュール」を追加する

サンプルのExcelファイルに記述されているマクロの中身を、自分で作成したブック（Excelファイル）へと**コピー**してみましょう。ここで使用するサンプルは、「Chapter02」フォルダー内の「S02_マクロの修正体験.xlsm」です。

`サンプルファイル` Chapter02¥S02_マクロの修正体験.xlsm

サンプルには、「**値の入力**」「**値の消去**」という、セルに値を一括入力・消去するマクロが用意されています。この2つのマクロを、自分で作成したブックにコピーしてみましょう。

▼ サンプルには、値を一括入力・消去するマクロが用意されている

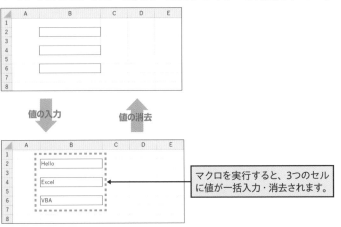

まずはマクロのコピー先となる新規のブックを作成します。ブックの名前（Excelファイルの名前）は任意のもので構いません。このブックに、マクロの中身をコピーする「場所」となる、**標準モジュール**を追加します。**通常のマクロは、この「標準モジュール」上に作成します。**

標準モジュールを追加するには、VBEを表示し、VBEのメニューから**挿入**－**標準モジュール**を選択します。

VBEの表示

[開発] を選択 ➡ [Visual Basic] を押す

標準モジュールの追加

VBEを表示 ➡ [挿入] －[標準モジュール] を選択

▼ マクロのコピー先となる標準モジュールを追加する

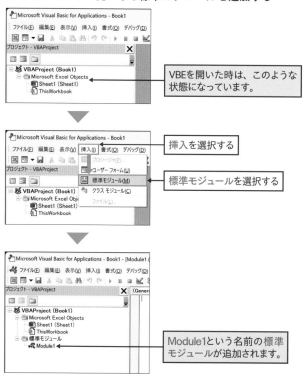

VBEを開いた時は、このような状態になっています。

挿入を選択する

標準モジュールを選択する

Module1という名前の標準モジュールが追加されます。

標準モジュール？　前の章でもちょっと出てきたね。

マクロを記述するための場所をモジュールと呼びます。「標準モジュール」は、通常のExcelでいうところのワークシートのようなものですね。

移動したいマクロをコピーする

　標準モジュールが用意できたところで、移動したいマクロをコピーします。

　コピーしたいマクロを含むExcelのブック（今回は「S02_マクロの修正体験.xlsm」）を開き、VBE上でコピーしたいマクロの中身を表示します（24ページ）。

　ドラッグする等の操作でマクロ全体を選択状態にしたうえで、**右クリック**して表示されるメニューから**コピー**を選択します。コピー操作が終わったら、サンプルのExcelファイルは閉じてしまって構いません。

マクロのコピー

マクロの中身を表示 ➡ ドラッグ等でマクロ全体を選択する
➡ 右クリックメニューから[コピー]を選択

▼ マクロの中身をコピーする

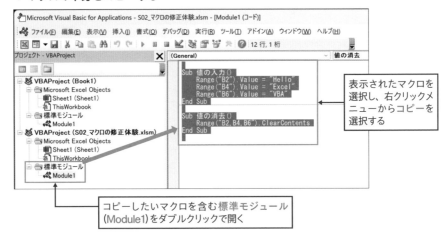

表示されたマクロを選択し、右クリックメニューからコピーを選択する

コピーしたいマクロを含む標準モジュール
(Module1)をダブルクリックで開く

選択して右クリックから［コピー］と。画面上は何も変化がないようだけどいいのかな？

コピーは、選択しているテキスト等をパソコンの「クリップボード」という場所に一時的に保存するおなじみの操作ですね。VBE上で使用した場合には、特に画面に変化はありませんが、きちんとコピーされていますよ。

了解。ところでマクロの内容をコピーする場合には、コピー元とコピー先のブックは同時に開く必要があるの？

コピーしたいマクロの内容をクリップボードに格納さえできれば、コピー先とコピー元のブックを同時に開かなくても構いません。他のブックからコピーするのではなく、ブラウザを使って見つけたWeb上のサンプルの内容を、ブラウザ上で選択して、コピーしてきてもOKです。

コピー先にマクロをペーストする

マクロの内容がコピーできたら、コピー先のブックを開き、標準モジュール（Module1）を開きます。転記したい位置で**右クリック**して、表示されるメニューから**貼り付け**を選んで、コピーしてある内容をペースト（貼り付け）します。これで、マクロのコピーは完成です。

マクロのペースト

標準モジュール（Module1）を開く ➡ 転記位置で右クリック ➡ ［貼り付け］を選択

▼ コピー先の標準モジュールにマクロの中身をペーストする

この例のように、1つのモジュールに、複数のマクロをコピーすることができます。マクロをまとめて管理できるので、便利ですね。また、標準モジュールを複数追加することもできます。2つ目の標準モジュールは「Module2」という名前で追加されます。

Excelの画面に戻って、**開発**タブの**マクロ**ボタンを押して、「マクロ」ダイアログボックスを表示してみましょう。すると、貼り付けたマクロが表示されています

ね。あとは実行したいマクロを選択して、実行ボタンを押せばマクロの内容が実行されます。

この方法さえ覚えておけば、書籍のサンプルやWeb上で紹介されているマクロを、自分のブックに取り込めます。

マクロの実行

[開発] を選択 ➡ [マクロ] を押す ➡ マクロを選択する ➡ [実行] を押す

▼「マクロ」ダイアログボックスで確認する

コピーしたマクロが
表示されます。

なるほど。マクロの内容となるテキストを、そのまま「標準モジュール」に
コピー&ペーストすればよい、というわけだね。簡単だね。

はい。コピー&ペーストの操作は、ショートカットキーのCtrl+Cでコピー、
Ctrl+Vで貼り付けすることもできます。慣れるとこちらの方が便利ですよ。

マクロをコピーする方法

- コピーするマクロを含むブックのVBEで標準モジュールを開き、マクロの中身を表示する。
- マクロの中身をドラッグ等で選択し、右クリックメニューから [コピー] を選択する。
- コピー先のブックのVBEで標準モジュールを開き、転記位置で右クリックして [貼り付け] を選択する。

「標準モジュール」以外のモジュール

モジュールには「標準」以外のものも存在します。

VBE画面の左上の、ツリー状のリストが表示されている**プロジェクトエクスプローラー**という場所には、開いているブック内に用意されている「モジュール」の一覧が表示される仕組みになっています。

あれ？　ということは、「ThisWorkbook」や「Sheet1」とかも「モジュール」ってやつなの？

はい。それらは「オブジェクトモジュール」と呼ばれる、少し特殊なモジュールです。Chapter09で学習する「イベント処理」に使用するのですが、普段は特に使用しません。一般的なマクロを利用する場合には、「標準モジュール」にVBAを記述していくことになります。とりあえず今は、「**マクロをコピーするには、標準モジュールを用意する**」ということを押さえておけばOKですよ。

HINT　マクロ名の表示形式

マクロをコピーする際、「マクロ」ダイアログボックスを表示すると、通常のマクロ名で表示されるものと、「**ブック名！マクロ名**」という形式で表示されるものが混在する場合があります。

これは、マクロを丸ごとコピーしたことによって、同時に開いている2つのブックに同じ名前のマクロが作成されている状態になっているため、「別ブックのマクロはこれですよ」と、区別が付けられるような状態で表示されているのです。このような場合には、コピー元のブックを閉じれば、マクロ名のみが表示されます。

02-02 マクロの中身を変更する

マクロをカスタマイズする

それでは、コピーしたマクロの中身を変更し、**カスタマイズ**してみましょう。コピー先のブックのVBEは、次の図のようになっているはずです（コピー元のブックは閉じてあります）。「Module1」にあるマクロの中身を変更していきます。

▼ コピーしたマクロの中身を変更する

マクロの中身の変更は、
VBEの画面上で行います。

コピーしたマクロ「値の入力」を下記のように変更し、実行してみましょう。ここでは、**セルに表示する値**を変更しています。

マクロの中身の意味は意識せずに、まずは変更と、その結果を体験して下さい。

▼ マクロ「値の入力」（変更前）

```
                                                Chapter02¥Sample01.txt
Sub 値の入力( )
    Range("B2").Value = "Hello"
    Range("B4").Value = "Excel"
    Range("B6").Value = "VBA"
End Sub
```

▼ マクロ「値の入力」(値を変更)

Chapter02¥Sample02.txt

```
Sub 値の入力()
    Range("B2").Value = "こんにちは"
    Range("B4").Value = "コードを"
    Range("B6").Value = "カスタマイズ!"
End Sub
```

「"(ダブルクォーテーション)」で挟まれた箇所を変更して、実行。おっ、
VBEで変更した内容がセルに入力されるようになったね!

はい。このように、マクロの中身を変更すれば、実行結果もそれに応じて変
わります。

▼ マクロの中身を変更すれば、実行結果もそれに合わせて変わる

VBEで変更した内容が、マクロ
の実行結果に反映されます。

! マクロの中身を編集すれば、実行結果も自分の思うように変更できます。

　続いて、次のように**セル番地**が入力されている部分を変更し、マクロを実行して
みましょう。

▼ マクロ「値の入力」(変更前)

Chapter02¥Sample03.txt

```
Sub 値の入力()
    Range("B2").Value = "こんにちは"
    Range("B4").Value = "コードを"
    Range("B6").Value = "カスタマイズ!"
End Sub
```

▼ **マクロ「値の入力」(セル番地を変更)**

```
Sub 値の入力( )
    Range("C2").Value = "こんにちは"
    Range("D4").Value = "コードを"
    Range("E6:F8").Value = "カスタマイズ！"
End Sub
```

今度はセル番地か。セル番地の記述方法は、Excelのワークシート関数で指定する書き方と同じでいいのかな？

セル番地の指定方法は、ワークシート関数と同じです。簡単に変更できますよね。

▼ **セル番地を変更すると、値が入力される位置が変わる**

VBEで指定した位置に、値が入力されます。

❗ マクロを適用したいセル範囲やシートも、中身を修正するだけで変更できます。

　今度は、**マクロの名前**を変えてみます。次のように「**Sub**」に続いている「値の入力」という部分を変更してから、「マクロ」ダイアログボックス(19ページ)を開いてみましょう。

▼ **マクロ「値の入力」(変更前)**

```
Sub 値の入力( )
    Range("C2").Value = "こんにちは"
    Range("D4").Value = "コードを"
    Range("E6:F8").Value = "カスタマイズ！"
End Sub
```

▼ マクロ「値の入力カスタマイズ」（名前を変更）

Chapter02¥Sample06.txt

```
Sub 値の入力カスタマイズ()
    Range("C2").Value = "こんにちは"
    Range("D4").Value = "コードを"
    Range("E6:F8").Value = "カスタマイズ！"
End Sub
```

どれどれ？　お、マクロ名が変更したものに変わってるね。なるほど！

Webや書籍上のサンプルのマクロ名は、「Sample01」や「Test」というようなものも多いですからね。この「**Subの後ろの文字列**」を変更することで、自分にとってわかりやすいマクロ名に変更してしまえばよいというわけです。

▼ マクロの名前はわかりやすいものに変更する

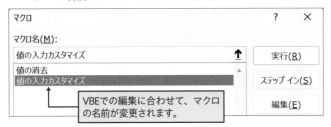

❗ マクロ名も自分がわかりやすいように変更できます。

　マクロ名には、**英数字・漢字・ひらがな・カタカナ**、それから「_（アンダーバー）」が使えます。記号やスペースは使えません。ちなみに、数字とアンダーバーを使う場合には、マクロ名の先頭には使えません。また、英字の大文字と小文字は区別されないので注意が必要です。

なるほど。「01_値を入力」は駄目で、「値を入力_01」ならOKという感じかな。

使えない文字を使用した場合は、エラーとして知らせてくれますよ。

なお、1つのブックに**マクロが複数ある場合には、同じマクロ名は使用できません**。特に他からコピーしてくる場合には、「Test」とか「Sample」といったマクロ名が重複することが多々ありますので、自分で変更する必要が出てくるでしょう。

コメントを挿入する

　最後に、下記のように「'（シングルクォーテーション）」から始まる行を挿入してみましょう。シングルクォーテーションの後ろに入力する内容は、任意のもので構いません。

▼マクロ「値の入力カスタマイズ」（コメントの入力）

```
Chapter02¥Sample07.txt
Sub 値の入力カスタマイズ()
    '指定したセルに値を入力します
    Range("C2").Value = "こんにちは"
    Range("D4").Value = "コードを"
    Range("E6:F8").Value = "カスタマイズ！"
End Sub
```

▼「'（シングルクォーテーション）」の後ろの文字列は「コメント」となる

コメント部分は色が変更されます。

どれどれ？　書いた部分が緑色で表示されるね。これでマクロを実行してみると…、何も変化はないみたいだけど？

　シングルクォーテーションで始まる行は、**コメント**（コメント行）という仕組みで扱われます。VBAでは、マクロ内に書いてあるプログラムを上から順に実行していくのですが、コメント部分は何が書いてあっても無視されます。

無視される？　じゃあ、あってもなくても同じなんだよね。何のために使うものなの？

コメントは、**マクロの中身の解説や、どういう狙いで作ったのか、注意しておきたいこと等のメモ**に利用します。後で見返した時に、どんなマクロなのかをわかりやすくする、「作る人のためのメモ」のような機能です。

特にコピーしてきたマクロは、何をやっているのかを理解する必要がありますからね。コメントがあればその助けになりますし、ない場合は、自分なりに理解した内容をメモしておく、なんて使い方もできますね。

基本的な構成と用語

ひと通り変更を体験したところで、マクロの基本的な構成を押さえておきましょう。

▼ 典型的なマクロの構成パターン

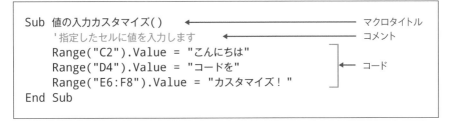

```
Sub 値の入力カスタマイズ()          ◀── マクロタイトル
    '指定したセルに値を入力します    ◀── コメント
    Range("C2").Value = "こんにちは"
    Range("D4").Value = "コードを"      ◀── コード
    Range("E6:F8").Value = "カスタマイズ！"
End Sub
```

▼ 典型的なマクロの構成要素

構成要素	説明
マクロタイトル	「Sub マクロ名」で始まるマクロの先頭箇所。この部分から、「End Sub」に挟まれた部分が1つのマクロとなる。**マクロ名を変更したい時にはこの部分を編集**
コメント	「'（シングルクォーテーション）」で始まる行。この行の内容は、プログラムを実行する際には無視される（つまり変更しても結果は変わらない）。行の途中に「'」を入れると、そこから後ろはコメントとして扱われる。**マクロの内容の説明や、記述等のメモ書きに使用**
コード	マクロで行う操作内容。**マクロの中身を変更する場合には、この部分を編集**
ステートメント	ひとかたまりのコードのこと。1行分のコードを「1行分のステートメント」のように呼ぶ

1つのマクロは、基本的に「Sub マクロ名()」から「End Sub」に挟まれた範囲に記述していきます。マクロを編集する場合は、**「Sub」の後ろを見てマクロ名を判断し、「コード」部分を変更していく**、というわけですね。マクロ全体を「プロシージャ」という呼び方をする場合もあります。

VBAを記述する際には、文字のことを「テキスト」と言うかわりに「コード」と呼び、コードのひとかたまりを「ステートメント」と呼びます。

なんだかややこしいね。

そう難しく考えなくても、そのうち慣れますよ。今の段階では「コードを変更」や「ステートメントを修正」という言葉が出てきたら、「ああ、マクロの処理が書いてある部分を変えるんだな」くらいに考えておいて下さい。

了解。とにかく「Sub」から「End Sub」に挟まれた部分に書いてあることを修正すればいいんだね。

先輩！　それはすごくいい視点ですね。VBAでは挟まれた部分というのがすごく大事な考え方なのです。是非とも、「挟まれた部分」という考え方を覚えておいて下さいね。

マクロを編集する際には、「Sub」から「End Sub」に挟まれた部分に書いてあるコードを修正します。

HINT なぜかマクロが実行できない時はセキュリティの設定をチェック

　手順通りに進めてみても、どうしてもマクロが実行できないという場合は、お使いのパソコンのExcelの設定が、マクロを実行できないようになっている可能性があります。

　「開発」タブの**マクロ**ボタンの右隣にある、**マクロのセキュリティ**ボタンを押して確認してみましょう。「トラストセンター」ダイアログボックスが表示され、現在のマクロの設定が表示されます。

　4つの設定のうち、一番上の「警告せずにVBAマクロを無効にする」が選択されている場合、マクロが実行できません。二番目の「警告して、VBAマクロを無効にする」を選んで、「警告メッセージでの確認後、マクロが使える状態」へと変更しましょう。

02-03 マクロを含むブックを保存する

「マクロ有効ブック」形式で保存する

　マクロをコピーして編集したブックを、**保存**してみましょう。

　マクロを含むブックを保存する場合には、**ファイル**－**名前を付けて保存**メニューを選択して保存先を指定し、「名前を付けて保存」ダイアログボックス下部の**ファイルの種類**欄からExcel**マクロ有効ブック（*.xlsm）**を指定したうえで、**ファイル名**にブックの名前を入力して保存します。

▼「マクロ有効ブック」としてブックを保存する

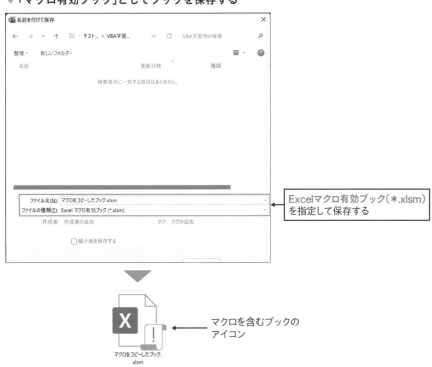

Excelマクロ有効ブック（*.xlsm）を指定して保存する

マクロを含むブックのアイコン

マクロを含むブックの保存

[ファイル] − [名前を付けて保存] を選択 ➡ [Excelマクロ有効ブック（*.xlsx)] を指定
➡ [ファイル名] を入力

　マクロを含むブックを保存した場合には、拡張子は通常の「＊.xlsx」ではなく、
「＊.xlsm」となり、アイコンも少々違った表示となります。

そうなんだ。通常のExcelブックとはちょっと違うんだね。

はい。うっかりマクロウィルスを含むブックを実行してしまわないような仕
組みの一環ですね。マクロを含むブックは、「＊.xlsm」形式でなくては保存
できないようになっています。

ふーん。じゃあ、既存のブックにマクロを追加する場合はどうするの？

　既存のブックにマクロを保存する場合は、マクロを追加したうえで、「＊.xlsm」
形式で「別名で保存」しなおす必要があります。元のブックとは別に、マクロをコ
ピーしたブックを別途作成する形になります。

えっ？　ちょっと待ってくれよ。じゃあ既存のブックが10個あって、そのす
べてでマクロを使用したい場合には、10個作りなおさなくちゃならないって
こと？

10個のブックすべてにマクロをコピーしたいのであれば、そうなります。で
も、マクロには、「マクロを記述したブック以外のブックを処理対象として
指定する」仕組みもありますので、「1つのブックにマクロを作成しておき、
そのマクロの内容を10個のブックに適用する」ような形にすることもできま
すよ。

> ❗ マクロを記述したブックは、「＊.xlsm形式」で保存しましょう。

02-04 エラーの種類と対処方法を覚える

コンパイルエラー

　これからマクロを作成・修正していくわけですが、その際には、頻繁に**エラー**に遭遇します。学習を始めたばかりの頃は、エラーに遭遇するだけで何か怖くなったり、嫌になったりしてしまいがちですが、エラーの出る原因と対処方法を押さえておけば、自分の意図した通りのマクロを作成する強い味方になってくれます。

　典型的なエラーと、その対処方法を押さえておきましょう。なお、このトピックは読み飛ばしておき、実際にエラーに遭遇した時点で再度読み返していただいても構いません。

▼ **コードの記述時にエラーが表示される場合**

エラーの種類	コンパイルエラー
原因	コードの書き間違い。スペルミスや閉じ忘れ、改行時の処理等

　コードの記述時に一番多く遭遇するのが、**コンパイルエラー**です。コンパイルエラーは、言ってみれば「書き間違い」です。VBE上でコードを編集中に書き間違えると、その時点でメッセージボックスが表示され、「ここ間違ってるんじゃありませんか？」という箇所が、赤く表示されます。

▼ **エラーが発生すると、VBE の画面上で色分けして知らせてくれる**

書いている最中にいきなり表示されるんだ。「これからちゃんと書こうと思ったのに！」という場合にも出てきそうだね。

 たいていは、1行コードを書いて［Enter］キーを押した時にチェックが入りますが、そういう場合もありますね。エラーが表示された場合には、メッセージボックスの［OK］ボタンを押してから、コードを修正すればOKです。

なるほど。じゃあ、「コンパイルエラー」と表示された場合には、スペルミスをしていないかどうかを確かめればいいんだね。

 そうですね。単純な書き間違いから、カッコやダブルクォーテーションの閉じ忘れ、それから、コードをコピーしてきた場合には、行をまたいだ場合の「_（アンダーバー）」の付け忘れも多いですね。

アンダーバー？

　VBAでは、1行分のステートメントが長すぎる場合には、途中で「_（スペースとアンダーバー）」を挟むことで、**複数行に分けて記述**できるというルールがあります。
　ただ、Web上のサンプル等を入手した場合には、表示する横幅が足りないために、アンダーバーなしのまま改行して表示されているケースがあります。それをそのままコピーしてくると、「妙な位置で改行されているのでエラーになる」というケースが多く見られます。

なるほどね。じゃあスペルミスに加えて、改行している辺りを確かめるのもよさそうだね。

▼ **これは OK**

`Chapter02¥Sample08.txt`

```
Range("C2").Value = _
"こんにちは"
```

▼ **これはエラー（ステートメントの改行前に「 _」がない）**

Chapter02¥Sample09.txt

```
Range("C2").Value =
"こんにちは"
```

　コードの記述時にはエラーが出ずに、実行した段階で初めてエラーとなる場合も
あります。

▼ **コードの実行時にエラーが表示される場合**

エラーの種類	コンパイルエラー（マクロ実行直前のチェック時点）
原因	マクロの内容に、どこを探しても見つからない単語が含まれている

▼ **エラーが発生すると、マクロの実行は一時停止される**

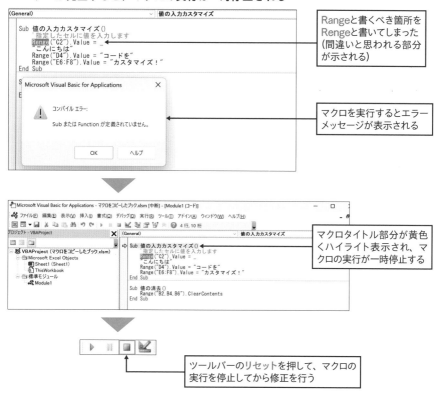

Rangeと書くべき箇所を
Rengeと書いてしまった
（間違いと思われる部分
が示される）

マクロを実行するとエラー
メッセージが表示される

マクロタイトル部分が黄色
くハイライト表示され、マ
クロの実行が一時停止する

ツールバーのリセットを押して、マクロの
実行を停止してから修正を行う

　これもコンパイルエラーですが、今度は、「実行してみたら『SubまたはFunction
が定義されていません』と表示される」タイプの書き間違いです。

書いている最中ではなく、実行して初めてエラーが表示されるの？　書き間違いなら、すぐにでもわかりそうなものなのに。

　VBAは自由にマクロ名を付けることができます。そして、1つのマクロのなかから、別のマクロを指定して呼び出せるという仕組みも用意されています（195ページ）。そのため、うっかりマクロ名の指定を書き間違えた箇所があっても、VBEが「ひょっとしたらこの名前で別のマクロを作る気なのかな？」と判断して、エラーと認定しないのです。そして、実行するタイミングになって、「探してみたけれどやっぱりこの名前はありませんでしたよ？」とメッセージを表示するわけです。

なるほど。それで実行して初めてわかるんだね。

はい。それから、実行時にエラーが見つかった場合には、VBEは「一時停止状態」になります。コンパイルエラーの場合には、マクロタイトル部分が黄色くハイライトされます。この場合に修正を行うには、一度、ツールバーの［リセット］ボタンを押してマクロの実行を停止させたうえで修正しましょう。

実行時エラー

　次は、「コードの文法的には正しいけれども、実行してみたら実行できなかった」場合に表示される**実行時エラー**です。

▼ 文法的に正しいけれど実行できないエラー

エラーの種類	実行時エラー（マクロ実行途中）
原因	マクロの内容を順番に実行している際に、実行不能の箇所がある

　例えば、「Sheet2」という名前のワークシートを扱うコードを記述しておいたのだけれども、実行時には「Sheet2」が存在していなかった、というようなケースが典型的なパターンです。特にマクロをコピーしてきた場合には、シート名等もきちんとマクロに合わせる（あるいはコードをコピー先の環境に合わせる）作業をしないと、このエラーになりがちです。

▼ 必要なものがない場合等、このようなエラーが発生する

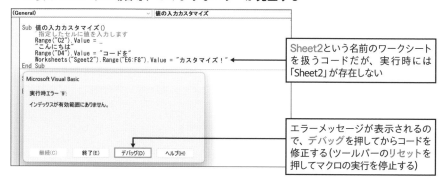

```
(General)                          値の入力カスタマイズ
Sub 値の入力カスタマイズ()
    指定したセルに値を入力します
    Range("C2").Value = _
    "こんにちは"
    Range("D4").Value = "コードを"
    Worksheets("Sgeet2").Range("E6:F8").Value = "カスタマイズ!"
End Sub

Microsoft Visual Basic
    実行時エラー '9':
    インデックスが有効範囲にありません。

      継続(C)    終了(E)    デバッグ(D)    ヘルプ(H)
```

Sheet2という名前のワークシートを扱うコードだが、実行時には「Sheet2」が存在しない

エラーメッセージが表示されるので、デバッグを押してからコードを修正する(ツールバーのリセットを押してマクロの実行を停止する)

マクロを作っていた時より後でシート名を変えてしまったり、削除してしまったり、というような場合だね。それはありそうだなあ。

また、実行時エラーは、コンパイルエラーと大きく違う点があります。

　マクロを実行する際には、上から1行1行順番に実行されていきます。つまり、どこかの行で実行時エラーが出た場合、**その行より上の処理は、既に実行されていること**になります。

　実行時エラーが発生すると、VBEは「一時停止状態」になり、エラーが発生した行が黄色くハイライトされます。

なるほど。じゃあハイライトされた場所よりも上に書いてある処理は実行されているんだね。このハイライトされている状態を解除したい場合には、さっきと同じく [リセット] ボタンを押せばいいのかな?

はい。[リセット] ボタンを押して、一時停止状態を解除してから修正、という流れでOKです。

論理エラー

　次は、「マクロは問題なく実行できるけれど、自分が思っていた結果と違う」ケースです。このような間違いを**論理エラー**と呼びます。

▼ **コードの内容にエラーはないけれど、思ったように動かない場合**

エラーの種類	論理エラー
原因	マクロは問題なく実行されるが、自分が思っていた結果と違う

この場合は特にエラーメッセージは表示されません。

メッセージが表示されないのにエラーなの？

はい。例えば、次のコードを見て下さい。

▼ **文法的には問題のない論理エラーの例**

Chapter02¥Sample10.txt

```
Sub 論理エラーの例()
    'セルB2、B4、B6に文字を入力
    Range("B2").Value = "Hello"
    Range("B4").Value = "Excel"
    Range("D5").Value = "VBA"
End Sub
```

あれ？　なんだかコメントの内容とコードのセル番地が違うようだけど…。

そうですね。このマクロを実行すると、次のようになります。

▼ 実行はできるが意図しない結果になる場合もエラーの１つ

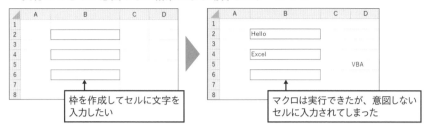

枠を作成してセルに文字を
入力したい

マクロは実行できたが、意図しない
セルに入力されてしまった

ああー、これは確かにエラーだね。修正するには、「Range("D5")」の箇所を、
「Range("B6")」にすればいいのかな。

それでOKです。このような論理エラーの難しいところは、コンパイルエラー
等と違って、VBEには判断できないところです。

　論理エラーはコードの書き方は正しいため、VBE側としては「書かれた通りに実
行してますよ？」という状態になります。しかし、目的と違う結果になってしまっ
ては、実行した側としては困ってしまいます。さらに、エラーメッセージが表示さ
れないので、間違っている箇所が見つけにくいのも修正を難しくしています。

ステップ実行で原因のコードを突き止める

　論理エラーに遭遇してしまった場合に、知っておくと便利な仕組みが、マクロの
ステップ実行機能です。その手順を見てみましょう。

　まず、動作を確認したいマクロ内の任意の位置を**クリック**します。その状態で
F8キーを押すと、マクロタイトルが黄色くハイライトされ、一時停止状態となり
ます。さらに続けて**F8**キーを押すと、1行（1ステートメント）コードを実行し、再
び一時停止状態となります。

ステップ実行
マクロ内をクリック ➡ [F8] を押す ➡ さらに[F8] を押して1行ずつ実行する

▼「ステップ実行」機能で、1行ずつコードを実行して動作を確認できる

マクロ内の任意の箇所を
クリックして**F8キーを押す**

ステップ実行は論理エラーのチェックに有効です。ExcelとVBEの画面を横に並べて表示して実行すると、コードと結果の関係がよくわかります。

VBE画面でマクロを選択して［F8］。おお、マクロタイトルが黄色くハイライトされたね。ここでまた［F8］。ハイライトが次の行に移ると。さらに［F8］でまた次の行に…。

［F8］キーを押したら、Excelの画面に切り替えてみて下さい。すると、直前にハイライトされていた部分のコードを実行した結果が反映されています。

うんうん、なるほど。これを繰り返していけば、コードと結果の関係がわかりやすいね。

　ステップ実行機能を利用する際には、ExcelとVBEの画面を横に並べて表示しておくと、よりコードと結果の関係がわかりやすくなります。論理エラーの原因となっているコードを絞り込むのに便利です。

　また、ステップ実行を停止する場合は、ツールバーの**リセット**ボタンを押します。

実行時エラーの時と同じだね。この機能があれば、エラーを探す時だけじゃなくて、コピーしてきたコードがどんな意味なのかを調べるのにも役に立ちそうだね。

コピーしてきたコードだけではなく、Excelの「マクロの自動記録」機能（83ページ）で記録されたコードの内容から、自分の目的に合った部分のコードを探し出す用途にも使えますね。覚えておくと便利ですよ。

まったく動かない場合の最後の手段

ごく稀にですが、マクロの編集を行っていく際に、コードのミスによりまったく操作を受け付けない状態に陥ってしまうことがあります。念のため、このようなケースに陥った場合の対処方法も覚えておきましょう。

対処方法① [Esc] キーを押す

マクロでも手こずるような大量の計算や、ワークシートの値の書き換えを行うようなマクロを実行しているために、**実行に時間がかかりすぎて画面が止まったような状態**になる場合があります。このケースでは、[Esc] キーを押すことでマクロの実行を中断できます。

マクロ実行中に**Esc**キーを押すと、次図のようなダイアログボックスが表示されるので、終了ボタンを押せばマクロの実行を停止できます。

▼ **実行中のマクロを強制的に中断する**

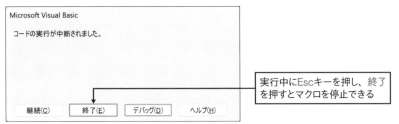

実行中にEscキーを押し、終了を押すとマクロを停止できる

対処方法②「タスクマネージャー」を利用する

繰り返し処理（142ページ）等の書き間違いにより、いつまでたってもマクロが終了しない**無限ループ**に陥ってしまい、しかも [Esc] キーを押しても中断できない状態になる場合があります。残念ながらこのケースでは、マクロを実行しているExcelごと強制終了するしか手段はありません。

Windowsでは、**Ctrl**＋**Alt**＋**Del**キーを同時に押すと、表示されるメニューから**タスクマネージャー**という機能を呼び出すことができます。「タスクマネージャー」画面が表示されたら、Excelを選択し、**タスクを終了する**ボタンを押します。する

と、Excelが強制終了しますので、再びExcelを立ち上げ、「ファイルの復元」機能を使って強制終了したブックを開きなおします。

Excel の強制終了
[Ctrl] + [Alt] + [Del] を同時押し ➡ 「タスクマネージャー」を選択
➡ Excelを選択 ➡ [タスクを終了する] を押す

▼ **動作しなくなった Excel を選択して強制終了させる**

Excelを選択する　　　　　　　タスクを終了するを押す

まずは動かなくなったら [Esc] キーを押してみて、それでも駄目だったら、最後の手段で「タスクマネージャー」機能を使う、というわけだね。

 できれば強制終了はしたくないですね。ちなみに強制終了した場合には、次にExcelを起動すると「ファイルの復元」機能が働いて、止まってしまう前のブックを復元できることもあります。

「こともある」ってことは、できない場合もあるのかな。

　保存のタイミングや実行していたマクロの内容によっては、不完全な復元であったり、ブックが壊れてしまうなんてこともありえます。強制終了を利用する際には、あくまでも、**動かなくなってしまったExcelをなんとか終了させる**ための手段と割り切りましょう。

　マクロを修正したら、まず保存してから実行するクセを身につけるというのも、防衛手段の1つになります。

CHAPTER

03

処理対象の指定方法

03-01 オブジェクトの意味と役割を理解する

「オブジェクト」で処理対象を指定する

　Chapter01でも説明した通り、VBAでは普段手作業で行っているExcelの操作を自動化することができます。この「操作の自動化」を簡単に行うために、**オブジェクト**という仕組みが用意されています。

　手作業でExcelの操作を行う際、私たちは、「**ブック**を作成する」「**ワークシート**を選択する」「**セル**に値を入力する」のように、「○○を××する」というような考え方で操作を行います。VBAでは、この「○○を」に相当するExcelの部品（機能）のことを、「オブジェクト」と呼びます。

▼ **VBA には、さまざまな「オブジェクト」が用意されている**

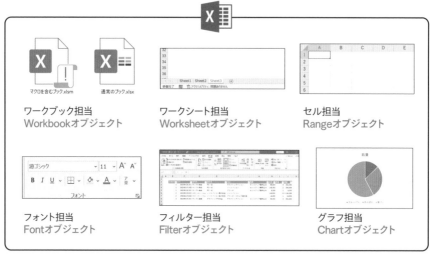

ワークブック担当
Workbookオブジェクト

ワークシート担当
Worksheetオブジェクト

セル担当
Rangeオブジェクト

フォント担当
Fontオブジェクト

フィルター担当
Filterオブジェクト

グラフ担当
Chartオブジェクト

Excelの個々の機能の担当者がオブジェクトです。

　さまざまなオブジェクトが用意されていますが、業務でマクロを使ううえでは、**ブック**、**ワークシート**、**セル**に対応するオブジェクトを押さえておけばよいでしょう。

▼ マクロでよく使うオブジェクト

扱う対象	対応するオブジェクト
ブック	Workbookオブジェクト
ワークシート	Worksheetオブジェクト
セル	Rangeオブジェクト

オブジェクトに対して「命令」を与える

VBAではオブジェクトの仕組みを使って、「**どのオブジェクトに対して命令を行うのか**」という形式でコードを記述していきます。「**まずオブジェクトを指定し、次に命令を指定する**」という順番が、VBAで命令を行う際の基本となります。

オブジェクトに命令を与える

オブジェクト.命令

オブジェクトの仕組みをイメージするとしたら、Excel全体を1つの取引先企業のように考えてみるのがよいかもしれません。この場合、オブジェクトは「業務ごとの担当者」といったイメージです。

なるほど。まずは目的の仕事を頼むための担当者を探して、その人に対して仕事の内容を伝える、という感じかな。

そうですね。「セルに値を入力する」という場合には、「①セルを扱う担当者を見つける」「②担当者に値の変更を頼む」という流れになります。

ふむふむ。でも、それじゃあ目的の操作を行うためのオブジェクトの指定方法や種類を知らないと、担当者不在でお手上げということ？

そうとも言えます。ただ、VBAには目的のオブジェクトを簡単に指定したり、探すための機能も用意されているのでご安心を。

! オブジェクトに対して命令を与える。これがVBAの基本です。

03-02 コレクションで オブジェクトを指定する

「コレクション」で任意のオブジェクトを指定する

　VBAでは、操作の対象となるオブジェクトを管理・指定するために、**コレクション**という仕組みが用意されています。

　コレクションとは、同じ種類のオブジェクトをまとめて管理する仕組みです。例えば、ブックをまとめて管理するためには**Workbooksコレクション**、ワークシートをまとめて管理するためには**Worksheetsコレクション**を使用します。

　多くのコレクションの名前は、オブジェクト名の一番後ろに、複数形を表す「**s**」を付けたものになります。例えば、「Workbookオブジェクト」をまとめて管理するのは「Workbook**s**コレクション」、「Worksheetオブジェクト」をまとめて管理するのは「Worksheet**s**コレクション」となります。

▼ マクロでよく使うコレクション

扱う対象	対応するコレクション
ブック	**Workbooks**コレクション
ワークシート	**Worksheets**コレクション
(セル)	(Rangeオブジェクト)

　そしてVBAでは、任意のオブジェクトを指定する際、多くの場合はコレクションの仕組みを使います。

　「Workbooksコレクションのなかの1つ目のブックに対して命令を行う」「Worksheetsコレクションのなかの『Sheet1』という名前のワークシートに対して命令を行う」というように、「**◎◎コレクションのなかの○○**」という形式でオブジェクトを指定をします。

　なお、コレクションのなかにあるオブジェクトのことを、**メンバー**と呼びます（「◎◎コレクションのメンバーである○○オブジェクト・・・」というように使います）。

▼「1つ目のブック」を指定する例

```
Workbooks(1)
```
Chapter03¥Sample01.txt

▼「sheet1」という名前のワークシートを指定する例

Chapter03¥Sample02.txt

```
Worksheets("sheet1")
```

▼ コレクション内のオブジェクトを指定する

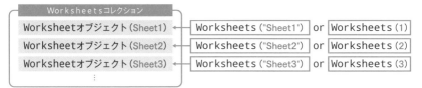

へえ。先ほどの会社の例で言うと、コレクションはExcelに依頼する仕事の「担当部署」といったところかな。

それはピッタリですね。Excelに仕事を依頼する際には、「◎◎部署内の○○さん」に対して仕事を依頼する、というようなコードの書き方をします。この時の「◎◎」が「コレクション」、「○○」が先ほどの「オブジェクト」となります。「Sheet1」に対する命令を行うには、「ワークシート部内の『Sheet1』さんをお願いします」と指定するわけですね。

なるほど。でも、左ページの表を見ると、一番よく使いそうな「セル」にはコレクションという仕組みが用意されていないようだけど…。「Ranges("A1")」みたいにRangeオブジェクトに「s」を付けた仕組みはないのかな?

実は「Ranges」はないんです。セルだけはちょっと特別なんです。

セルは「Rangeオブジェクト」を利用する

　セルを扱うためのオブジェクトである**Rangeオブジェクト**には、コレクションの仕組みは用意されていません。用意されていないというよりも、Rangeオブジェクトという仕組み自体が、「Range」という単語が示すように、特定の「範囲」のセルを扱うためのコレクションのようなオブジェクトとなっています。

`Chapter03¥Sample03.txt`

```
Range("A1")
```

▼「セル範囲A1:C5」を指定する例

`Chapter03¥Sample04.txt`

```
Range("A1:C5")
```

　「単一のセル」を扱うための仕組みと、「セル範囲」を扱うための仕組みをそれぞれ用意するのではなく、1つの仕組みで両方対応できるようになっています。「1つのセルだけでも『セルが1つあるセル範囲』」という考え方です。「Rangeオブジェクト」のみで、柔軟に操作対象の指定ができるようにしているわけですね。

> ミュージシャンやお笑いグループでも、1人なのにユニット名やグループ名が付いている場合があるけど、あれと似たような感じだね。

> そうですね。「セルは常にグループで扱う。ただし1人グループもOK」というような形になっています。あるいは、「セルだけは、その都度、プロジェクトチームのような臨時の部署を作成して、そこに仕事を依頼する」ような指定方法とも言えますね。

> **!** ブックやワークシートはコレクション、セルはRangeオブジェクトを利用して指定します。

 HINT 指定はA1形式でもA1形式でもOK

　セル範囲を指定する場合、通常は「Range ("A1")」と相対参照形式で記述しますが、これは「$」を付けた絶対参照形式で、「Range ("$A$1")」と指定してもOKです。
　ちなみに、任意のセル範囲のセル番地を取得するには「Addressプロパティ」(72ページ)という仕組みを利用しますが、特にオプション設定を指定しないで利用した際に取得できるセル番地は、「A1」ではなく、「A1」の絶対参照形式のものとなります。

03-03 処理対象のオブジェクトを指定する

コレクションを利用してオブジェクトを指定する

オブジェクトやコレクションの仕組みを使って、操作する対象を指定してみましょう。

コレクションを利用して操作対象となるオブジェクトを指定するための構文は、次のようになります。

オブジェクトの指定

```
コレクション(インデックス番号)
コレクション("オブジェクト名")
```

まずは操作対象が属するコレクションを指定します。コレクションは多くの場合、**コレクション名と同じキーワード**で指定し、続く「()(カッコ)」のなかに、「そのコレクション内の何番目のオブジェクトなのかを示す番号(**インデックス番号**)」、もしくは、「"(ダブルクォーテーション)」で挟んで**オブジェクト名**を記述します。

例えば、「Sheet1」「Sheet2」という順番の2つのワークシートを持つブックがあったとします。この時、1つ目のワークシートである「Sheet1」を操作対象に指定するには、次のいずれかのようにコードを記述します。

▼「Sheet1」を指定する例

Chapter03¥Sample05.txt
```
Worksheets(1)
Worksheets("Sheet1")
```

単一セルの場合はそのまま「A1」、セル範囲の場合は、**範囲としたい左上と右下のセル**を「:(コロン)」で繋げて「A1:C4」というように、ワークシート上でもおなじみのセル番地の形式で指定します。また、セル番地を指定する際は、「"(ダブルクォーテーション)」で挟みます。

セルの指定(単独セル)

```
Range("セル番地")
```

Range("左上のセル番地:右下のセル番地")

▼ セル範囲は左上と右下のセル番地で指定する

セル範囲「A1 : C4」を指定する場合は、
Range("A1:C4")
と記述します。

▼ セルを指定する例

Chapter03¥Sample06.txt

```
Range("A1")
Range("A1:C4")
```

　この仕組みを踏まえて、マクロをカスタマイズする場合を考えてみましょう。操作を行う対象を変更したい場合には、まず、「◎◎s (xxxx)」のように、**複数形の「s」に続けてカッコで番号や名前を囲ってある箇所**に注目します（セル範囲の場合は、「Range (xxxx)」）。その場所が、操作対象のオブジェクトを指定してある場所となります。

なるほど。コードのなかの、「◎◎s(xxxx)」もしくは「Range(xxxx)」の場所が操作対象を決めている、と。そして、カッコの中身の番号や名前を変えれば、操作対象を変更できるんだね。

❗ ブックやワークシートは、「コレクション（インデックス番号）」「コレクション（"オブジェクト名"）」の形で指定します。単独のセルを指定する場合は「Range（"セル番地"）」、セル範囲を指定する場合は「Range（"左上のセル番地:右下のセル番地"）」とします。

HINT インデックス番号とオブジェクト名

　コレクション内のオブジェクトを指定する場合は、**インデックス番号**や**オブジェクト名**を使用します。Worksheetsコレクションのインデックス番号は、ワークシート下部のタブで、一番左にあるものが「1」、2番目が「2」というように自動的に設定されます。オブジェクト名はタブに表示されている名前です。オブジェクト名も追加し

た順に「Sheet2」「Sheet3」と自動で設定されていきますが、任意に変更することもできます。

　Workbooksコレクションは、現在開いているブックを管理します。複数のブックを同時に開いている場合、開いた順に「1」「2」とインデックス番号が割り当てられます。オブジェクト名はファイル名で指定します。このように、インデックス番号とオブジェクト名は、自動で設定されるものと任意に設定するものがあり、基本的には追加した順や位置によって設定されます。

階層構造を使って指定する

　操作の対象となるオブジェクトを指定する際、特にセルを指定する際には、**階層構造**を使う場合が多くあります。

　次の例は、階層構造を使わずに**セルA1**に対して操作を行うコードです。

▼ 階層構造を利用しないコード

```
Chapter03¥Sample07.txt
'セルA1の値を変更
Range("A1").Value = "VBA"
```

　「.Value = "VBA"」は、「セルの値（Value）を『VBA』にする」命令です。また、1行目はコメントなので処理は行われません（42ページ）。命令については後ほど解説していきますので、ここでは細かいことは気にせずに進んで下さい。

　ブック内に複数のワークシートがあった場合、このコードは、どのワークシートのセルA1が操作の対象になるでしょうか？　答えは、「コード実行時点で目の前にあるワークシートのセルA1」です。「目の前にある」とは「表示されている」「選択されている」等の状態を意味します。

　それに対して次の例は、階層構造を指定してセルA1に対して操作を行うコードです。こちらのコードは、現在目の前にあるブックやシートにかかわらず、常に**「1つ目のブックの『Sheet1』上のセルA1」**を操作の対象とします。

▼ 階層構造を利用したコード

```
Chapter03¥Sample08.txt
'1つ目のブックの「Sheet1」のセルA1の値を変更
Workbooks(1).Worksheets("Sheet1").Range("A1").Value = "VBA"
```

このように、「ブックとワークシート」「ワークシートとセル」といった階層構造を持つオブジェクトの多くは、**親となるオブジェクト**を指定し、続けて「.（ピリオド）」を記述して**子となるオブジェクト**を指定することで、階層構造を明確にして操作の対象となるオブジェクトを指定できるようになっています。

へえ。例えば「鈴木さんに仕事を頼む」と書いた場合は、目の前の鈴木さんが仕事をしてくれて、「営業二課の鈴木さんに仕事を頼む」と書いた場合には、必ず二課の鈴木さんが仕事をしてくれる、というようなことかな。

そうですね。コードをカスタマイズする際にも、オブジェクトの後ろにある「.（ピリオド）」を、日本語の「**の**」に読み替えてみると、何を指定しているのかがわかると思いますよ。前ページの例だと、「1つ目のブックの、Sheet1という名前のシートの、セルA1」となるわけですね。

なるほど。じゃあ操作対象のブックだけ変えたいとか、ワークシートだけ変えたい場合には、その部分の「◯◯s(xxxx)」の箇所を変更すればいいんだね。

「目の前のオブジェクト」を指定する

階層構造を使わずにセル等を指定した場合には、「目の前の◯◯オブジェクト」が操作の対象となりますが、この仕組みとは別に、明示的に「目の前の◯◯」を指定する方法も用意されています。

▼「目の前のオブジェクト」を指定するキーワード（抜粋）

キーワード	対象
ActiveCell	アクティブセル
ActiveSheet	アクティブシート
ActiveWorkbook	アクティブブック
ThisWorkbook	コードが記述されているブック
Selection	現在選択されているもの（セル範囲やシェイプ等）

▼「目の前のオブジェクト」を指定するコードの例

Chapter03¥Sample09.txt

```
'アクティブセルの値（Value）を「VBA」に変更
ActiveCell.Value = "VBA"
```

```
'アクティブシートの名前(Name)を「新しいシート名」に変更
ActiveSheet.Name = "新しいシート名"

'コードが記述されているブック(ThisWorkbook)の名前(Name)を
'メッセージボックス(Msgbox)に表示
Msgbox ThisWorkbook.Name

'選択されているセル範囲(Selection)の値(Value)を「VBA」に変更
Selection.Value = "VBA"
```

 「アクティブなシートのセルに対して処理を行いたい」ですとか、「その都度選択したセル範囲に対して処理を行いたい」というような場合には、このようなキーワードを利用していることが多いですね。

なるほど。「**Active○○**」というように、Activeが付いているキーワードがあったら、「目の前のオブジェクト」を指定しているんだな、と考えればよいわけだね。

 はい。あとは「コードが記述されているブック」を指定する**ThisWorkbook**と、「選択しているもの(セル範囲やシェイプ等)」を指定する**Selection**を覚えておくと、何に対して操作を行っているのかを理解しやすくなります。

HINT アクティブとThisWorkbook

現在選択されているセルを**アクティブセル**と呼びます。同様に、アクティブセルを含むワークシートを**アクティブシート**、アクティブシートを含むブックを**アクティブブック**と呼びます。

ThisWorkbookは、コードが記述されているブック自身を意味します。本書ではマクロを標準モジュールに保存することを推奨していますが(37ページ)、標準モジュールを追加したブックと考えると理解しやすいでしょう。

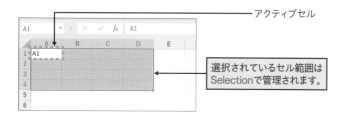

アクティブセル

選択されているセル範囲はSelectionで管理されます。

処理対象を変更する

次のマクロは、「セルB3の『基本価格』とセルD3の『かけ率A』を掛けた値を、セルB6に入力する」という内容なのですが、これを、「**セルE3の『かけ率B』を掛ける**」という内容に変更してみて下さい。

▼ オブジェクト変更前

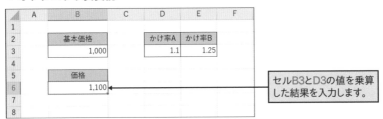

セルB3とD3の値を乗算した結果を入力します。

▼「セルD3」のかけ率を使って計算を行う

Chapter03¥Sample10.txt

```
Sub Macro1()
    'かけ率Aを使って価格を算出
    Range("B6").Value = Range("B3").Value * Range("D3").Value
End Sub
```

よし、マクロ全体の内容はよくわからないけど、とにかく現状「セルD3」を指定してある場所を見つけて、「セルE3」を指定するように変更すればいいわけだね。えーっと、セルの場合は「Range(xxxx)」という場所か。全部で3つ…、そのなかで「セルD3」っぽい場所は…あった！　ここを変更すればいいのかな？

▼「セルE3」のかけ率を使うように変更する

Chapter03¥Sample11.txt

```
Sub Macro2()
    'かけ率Bを使って価格を算出
    Range("B6").Value = Range("B3").Value * Range("E3").Value
End Sub
```

▼ オブジェクト変更後

操作対象を変更し、かけ率B（セルE3）の値を利用したマクロに変更できました。

正解です！　ではもう1つ。次のマクロは、セル範囲B2:H12に対してフィルターを実行しています。このマクロを、「コードが記述されているブックの『顧客リスト』シートの**セル範囲B2:H12**にフィルターをかける」ように変更して下さい。

▼ フィルター実行前

	A	B	C	D	E	F	G	H
1								
2		ID	氏名	性別	年齢	担当者	最終連絡日	住所
3		1	佐野　晃史		43	古川	3月10日	東京都文京区　○○○-○
4		2	前田　研治	男	29	黒木	2月14日	岐阜県美濃加茂市　×××
5		3	前田　智子		27	黒木	3月8日	愛知県名古屋市　△△△-△
6		4	星野　亜里沙	女	19	黒木	3月10日	新潟県長岡市　○○○-○
7		5	増田　雪乃	女	19	黒木	2月26日	東京都八王子市　××× -××
8		6	佐野　遥	男		古川	2月18日	静岡県清水市　△△△-△
9		7	矢部　剛史		52	小野寺	3月3日	静岡県富士宮市　××-×
10		8	宮崎　洋平	男	33	小野寺	3月5日	東京都千代田区　○○
11		9	三田　智史	男	27	黒木	2月4日	福井県福井市　△△△-△
12		10	太田川　美奈	女	23	古川	1月20日	大阪府吹田市　□□□
13								
14								
15								

▼ セル範囲 B2:H12 に対してフィルターを実行する

Chapter03¥Sample12.txt

```
Sub Macro3()
    Range("B2:H12").AutoFilter Field:=3, Criteria1:="男"
End Sub
```

うーん。フィルターをかけるコードというのはよくわからないけど、オブジェクトを指定しているのは「Range」の部分かな。「B2:H12」というセル範囲的には変更はないのだから、「どのブックのどのシートのセルなのか」の部分を付け加えればいいわけだね。ということは、「Range」の前部分に階層構造を指定するコードを付け加えて…、こうかな？

▼ ブックとセルを指定してフィルターを実行する

Chapter03¥Sample13.txt

```
Sub Macro4()
    ThisWorkbook.Worksheets("顧客リスト").Range("B2:H12"). _
        AutoFilter Field:=3, Criteria1:="男"
End Sub
```

▼ フィルター実行後

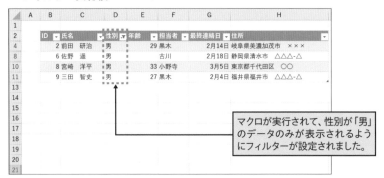

ID	氏名	性別	年齢	担当者	最終連絡日	住所	
2	前田 研治	男	29	黒木	2月14日	岐阜県美濃加茂市	×××
6	佐野 遙	男		古川	2月18日	静岡県清水市	△△△-△
8	宮崎 洋平	男	33	小野寺	3月5日	東京都千代田区	○○
9	三田 智史	男	27	黒木	2月4日	福井県福井市	△△△-△

マクロが実行されて、性別が「男」のデータのみが表示されるようにフィルターが設定されました。

こちらも正解です！　これなら他のワークシートやブックがアクティブになっている場合でも、目的の「顧客リスト」のセルに対してフィルターをかけることができますね。VBAでは、このような仕組みで、操作を行う対象である「オブジェクト」を指定・修正していきます。

サンプルファイル　Chapter03¥S03_演習.xlsm

04

値の設定と機能の実行

04-01 プロパティで処理対象の情報を指定する

処理対象の「情報」を指定する「プロパティ」

　Excelの機能の自動化を行う場合には、まず、「何を対象とするのか」という操作対象となる**オブジェクト**を指定します。この対象としたオブジェクトに対して具体的な指示を行うには、プロパティとメソッドという仕組みを利用します。

　Excelのオブジェクトは、オブジェクトごとに「固有の情報」を持っています。それを**プロパティ**と呼びます。例えば、セルを扱う際に使用するRangeオブジェクトには、次のようなプロパティが用意されています。

▼ **Rangeオブジェクトのプロパティ(抜粋)**

情報	プロパティ名
セルの値	Value
セル番地	Address
セルのフォント情報	Font

　セルの値に関する情報は、**RangeオブジェクトのValueプロパティ**が管理していることになります。

　オブジェクトが現在どのような情報を持っているのかを知りたい場合には、次の構文でオブジェクトとプロパティを指定します。

プロパティの指定

オブジェクト.プロパティ

　オブジェクトを指定した後に「.(ピリオド)」を記述し、さらに**プロパティ名**を続けて記述します。

　例えば、**セルA1**に入力されている**値**(Valueプロパティ)を知りたい場合には、次のようにコードを記述します。

サンプルファイル　Chapter04¥S04_プロパティとメソッド.xlsm

▼ **セル A1 の値（Value）を表示する**

```
MsgBox Range("A1").Value
```

▼ **セル A1 の値（Value）がメッセージボックスに表示される**

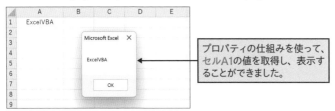

プロパティの仕組みを使って、セルA1の値を取得し、表示することができました。

コード内の「MsgBox」という部分は、後ろに続く部分の内容をメッセージボックスに表示する「VBA関数」という仕組みなのですが、ここではとりあえず気にせずに、後ろの「Range("A1").Value」という部分に注目して下さい。

なるほど。「セルA1」というオブジェクトを指定した後で、「.」と「プロパティ名」を繋げて記述しているね。両方を「.」で繋げて記述するわけだね。

プロパティの値の変更

プロパティの値を**変更**する場合には、次の構文を使用します。

プロパティの値の変更

オブジェクト.プロパティ ＝ 変更後の値

「オブジェクト.プロパティ」として変更したいプロパティを記述し、続けて「＝（イコール）」と**変更後の値**を記述します。「プロパティ・イコール・値」の順番で記述しますが、それぞれの間には、半角スペースが入る点に注目して下さい。

例えば、**セルA1**の**値**（Value）を、「**新しい値**」に変更したい場合には、次のようにコードを記述します。

▼ **セル A1 の値（Value）を変更する**

```
Range("A1").Value = "新しい値"
```

▼ セルの値がコードで変更された

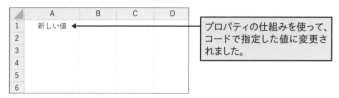

プロパティの仕組みを使って、コードで指定した値に変更されました。

▼ オブジェクトのプロパティを変更する

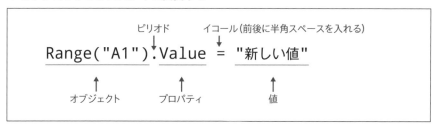

▼ プロパティを変更することで、オブジェクトの情報が変わる

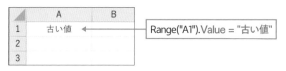

Range("A1").Value = "古い値"

Range("A1").Value = "新しい値"

プロパティと値をイコールで繋ぐのか。「**プロパティが、この値とイコールになるようにしなさい**」というような指示なんだね。

そうですね。ちなみに、プロパティの値を得ることを「**プロパティを取得する**」という言い方をします。同じく、変更する場合には「**プロパティを設定する**」という言い方をします。

「取得と設定」ね。ところで、どんなプロパティでも取得と設定はできるものなの？

プロパティのなかには、値の取得しかできないものもあります。例えば、Range
オブジェクトのセル番地を表す「Addressプロパティ」等です。そのようなプロパ
ティは、**読み取り専用プロパティ**という呼ばれ方もします。

> プロパティはオブジェクトの情報を取得・設定します。プロパティの取得は「オ
> ブジェクト.プロパティ」、**プロパティの設定は**「オブジェクト.プロパティ = 値」
> と記述します。

HINT サンプルコードの実行方法

例として掲載したコードは、以下の方法で実行することができます。

VBEを開き（23ページ）、標準モジュールを追加して下さい（32ページ）。追加した
標準モジュール（Module1）をダブルクリックすると、VBEの画面右側にコードが記
述可能になります。

ここにまず、「Sub」から始まるマクロタイトル（43ページ）を記述します。マクロ
名は何でも構いません。試しに「Sub test()」と入力してみて下さい。

入力できたら**Enter**キーを押します。すると、「End Sub」が自動的に入力されます。
あとは、「Sub」から始まるタイトル行と「End Sub」の行の間にコードを入力します。

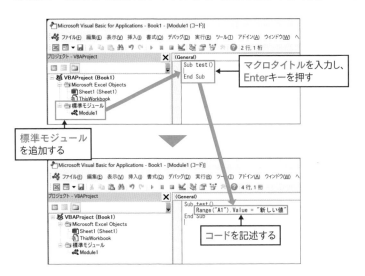

コードを入力する際は、タブやスペース等で**インデント**（字下げ）を設定しておくと、
後から確認しやすくなります。

入力できたら、「マクロ」ダイアログボックス等から実行しましょう（19ページ）。

04-02 メソッドで処理対象を操作する

オブジェクトの「操作」を命令する「メソッド」

Excelのオブジェクトには、それぞれ特有の「操作」を行うための命令が用意されています。この命令を**メソッド**と呼びます。

例えば、セルを扱う際に使用するRangeオブジェクトには、次のようなメソッドが用意されています。

▼ **Range**オブジェクトのメソッド(抜粋)

操作	メソッド名
セルをクリア	Clear
セルを削除	Delete
セルを選択	Select

セルの値等をクリア(消去)したい場合には、**RangeオブジェクトのClearメソッドを実行する**というようにコードを記述・実行します。

メソッドを実行したい場合には、次の構文でオブジェクトとメソッドを指定します。

メソッドの実行

```
オブジェクト.メソッド
```

オブジェクトを指定した後に「.(ピリオド)」を記述し、さらに**メソッド名**を続けて記述します。

例えば、**セルB2**を**クリア**(値等を消去)するには、次のようにコードを記述します。なお、Clearメソッドは、値と一緒に罫線や塗りつぶしの色も消去します。

▼ **セル B2 をクリア(値等を消去)する**

Chapter04¥Sample03.txt

```
Range("B2").Clear
```

「セルB2」というオブジェクトを指定した後で、「.」と「メソッド名」を繋げて記述しているね。プロパティの時と同じだね。

▼ メソッドでセルがクリアされた

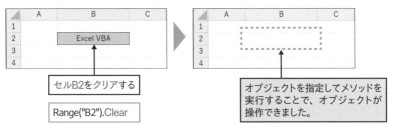

セルB2をクリアする

Range("B2").Clear

オブジェクトを指定してメソッドを
実行することで、オブジェクトが
操作できました。

! メソッドは、オブジェクトに対する操作を行います。メソッドを実行するには、
「オブジェクト.メソッド」と記述します。

「引数」でメソッドの動作を細かく指定する

メソッドのなかには、実行する際に動作を細かく指定できる、**引数**（ひきすう）という仕組みが用意されているものがあります。この引数を利用する際には、次の構文を使用します。

引数の利用

オブジェクト.メソッド 引数名：=引数として渡す値

メソッドを指定したうえで、**半角スペース**を1つ空け、続いて**引数名**と**渡す値**を「**:=**（コロン・イコール）」で繋いで記述します。

引数は、特に指定せずに省略できる場合と、必ず指定しなければならない場合があります。例えば、Rangeオブジェクトに用意されている、セルを削除するための「Deleteメソッド」は、特に引数を指定しなくても実行できますが、引数「Shift」を利用すると、「対象セルを削除後、どの方向に既存のセルを詰めるのか」の動作を指定したうえで実行できます。また、引数はプロパティや「変数」で指定することも可能です（変数についてはChapter06（104ページ）で解説します。また、「引数」については177ページでも触れていますので、そちらも確認して下さい）。

引数**Shift**を利用して、**セルC3**を**削除**する際に「**左側に詰める**」操作を行うには、次のようにコードを記述します。

▼ **セル C3 を削除し、左側に詰める**

Chapter04¥Sample04.txt

```
Range("C3").Delete Shift:=xlShiftToLeft
```

▼ **引数を指定することで、メソッドの結果が変わる**

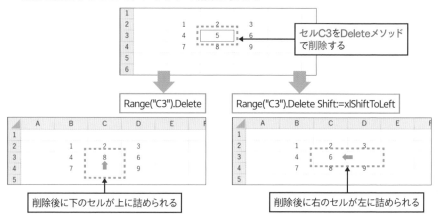

▼ **引数を利用してメソッドを実行する**

Deleteメソッドに「Shift」という引数を指定する場合には、メソッドを記述した後ろに半角スペースを入れて、その後に「Shift:=xlShiftToLeft」と。これが「左側に詰める」という情報なのかな？

そうです。でも、とりあえず今は渡す情報の形式や種類は置いておいて、**「引数という、メソッドに細かな動作を指定できる仕組みがある」**ということだけを押さえておきましょう。

　どんな名前で、どんな効果のある引数がいくつ用意されているのか、また引数が省略できるかどうか等は、メソッドごとに異なっています。正しくない引数を指定した場合は、エラーが発生します。

うん、そうだね。例えば「資料を印刷して」という時に、「枚数」という引数に「5部」という情報を渡すのはよいだろうけど、勝手に「味」という引数を自分で作って、「味噌味」というような情報を渡されても困っちゃうよね。それと同じだね。

そ…それは困りますね。ともあれ、メソッドの引数については、ヘルプ等を活用して、使用するものをその都度調べて使っていけばOKですよ。

メソッドに引数を指定する方法はもう1種類用意されています。引数を指定する際に、**「引数名」を省略して「引数に渡す値」のみを記述**する方法です。

引数の利用（引数名の省略）

オブジェクト.メソッド　引数として渡す値

この方法を使用して前述の「セルC3を削除し、左側に詰める」コードを記述すると、次のようになります。

▼ 引数名を省略して引数を利用する

```
                                    Chapter04¥Sample05.txt
Range("C3").Delete xlShiftToLeft
```

へえ。そんな方法もあるんだ。この方がコードを書く量が減ってありがたいかもね。

手軽で簡単に記述できますね。ただ、引数名を指定する場合は、「どんな用途の引数なのか」がわかりやすくなるというメリットがありますね。この辺りは、好みや状況によって使い分けてみましょう。ちなみに、引数名を指定する方式は、「名前付き引数」を指定して記述する、なんて言い方をします。

> **❗** メソッドへの細かな指示を確認・変更するには、引数をチェックしましょう。引数を使うには「オブジェクト.メソッド　引数名:=引数」、名前付き引数を使用しない場合は「オブジェクト.メソッド　引数」と記述します。

HINT 「戻り値」を返すメソッド

　メソッドのなかには、実行した結果の「値」を得られるものがあります。例えば、Rangeオブジェクトの**Findメソッド**は、VBAからExcelの**検索機能**を使用するものです。

　Findメソッドを実行すると、「検索の結果として見つかったセル」という値を返します。このような結果の値を、**戻り値**と言います。

　戻り値を返すメソッドを使用する場合には、引数全体を**カッコ**で囲って記述します。例えば、次のコードでは、**セルB2:D5**のなかから「**戌**」と入力されているセルを検索し（検索はFindメソッドで行います）、その戻り値であるセルを変数「inuRange」に格納し、メッセージボックスにセル番地（Addressプロパティの値）を表示しています（変数については104ページを参照して下さい）。

Chapter04¥Sample06.txt

```
Dim inuRange As Range
Set inuRange = Range("B2:D5").Find(What:="戌", _
    LookIn:=xlValues, LookAt:=xlWhole)
MsgBox "戌と入力されているセルは、" & inuRange.Address
```

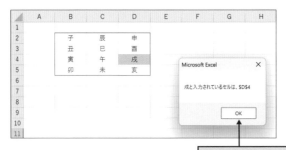

Findメソッドの「戻り値」を利用して、検索の結果
見つかったセルのセル番地を表示できました。

04-03 オブジェクト・プロパティ・メソッドの調べ方を覚える

よく使うオブジェクトを押さえておく

自分の使用したい機能のオブジェクト・プロパティ・メソッドをどう書けばいいのかは、ヘルプ等で調べることができます。

まずは次のオブジェクトをざっと覚えておきましょう。丸暗記する必要はありません。「これ、見たことあるな」くらいでOKです。オブジェクト名がわかれば、それをキーワードにヘルプやWeb、書籍等で検索・調査ができます。

▼ **よく使うオブジェクト (抜粋)**

オブジェクト	対象/機能
Range	セル
Worksheet	ワークシート
Workbook	ブック
Window	Excelのウィンドウ
ChartObject	グラフ
Name	名前付きセル範囲
Border	罫線
Font	フォント
Interior	セルの書式
AutoFilter	フィルター機能
ListObject	テーブル機能
PivotTable	ピボットテーブル
Application	Excel全体に関する命令や設定
Debug	VBEのイミディエイトウィンドウ

ヘルプを引く

Excelには、あらかじめVBAの「辞書」のようなものも付属しています。VBEのメ
ニューから、**ヘルプ**－**Microsoft Visual Basic for Applicationsヘルプ**を選択すると、
Webブラウザ上にヘルプページが表示されます（インターネットへの接続が必要です）。

VBAのヘルプの表示
VBEを開く ➡ ［ヘルプ］－［Microsoft Visual Basic for Applicationsヘルプ］を選択

オブジェクトについて調べたい場合には、ヘルプページのトップから、**Excel
VBAリファレンス**－**オブジェクトモデル**と進むと、オブジェクトの辞書が表示さ
れます。

あとは画面左側から調べたいオブジェクトを選択したり、右上の検索ボックスに
調べたいオブジェクト名を入力して検索することで、目的のオブジェクトのプロパ
ティやメソッドが表示できます。

▼ ヘルプを活用してオブジェクト等の情報を調べる

82

さらに、個々のプロパティ名やメソッド名をクリックすれば、詳しい説明や使い方のサンプルが表示されます。

コードから直接ヘルプを引く

Webや書籍からコピーしてきたサンプルのコードを元にヘルプを引く方法も用意されています。

方法は簡単で、VBE上で調べたい部分を**ドラッグ**して選択状態にし、**F1**キーを押します。すると、選択したコードに関するヘルプが表示されます。

▼ **コードから直接ヘルプを開くこともできます**

```
(General)                                        ∨  test
Sub 戻り値を返すメソッド()
    Dim inuRange As Range

    Set inuRange =
        Range("B2:D5").Find(What:="戌", LookIn:=xlValues, LookAt:=xlWhole)

    MsgBox "戌と入力されているセルは、" & inuRange.Address
End Sub
```

意味を調べたい箇所を選択状態にし、
F1キーを押すとヘルプが表示されます。

これは便利だね!　わからないところがあったら、とりあえず選択して[F1]だね。

はい。ただし、表示されるのはVBE側で「おそらくこれだろう」と推測したページなので、ちょっと的外れなものが表示される場合もありますのでご注意を。また、ヘルプの文章は、慣れるまでちょっとわかりにくいという場合もありますので、その場合には、Webや書籍で調べてみるというのがよいでしょうね。

マクロの自動記録機能を活用する

Excelには、自分の行った操作をVBAのコードとして記録してくれる、**マクロの自動記録**機能が用意されています。

マクロの自動記録を行うには、まず、**開発タブ内のマクロの記録**ボタンを押します。すると「マクロの記録」ダイアログボックスが表示されるので、**マクロ名**と**マクロの保存先**を指定して、**OK**ボタンを押してから一連の作業を実際に行います。作業が済んだところで、**記録終了**ボタンを押せば完了です。

オブジェクト・プロパティ・メソッドの調べ方

自動記録で操作をコードとして記録する

[開発] を選択 ➡ [マクロの記録] を押す ➡ [マクロ名] と[マクロの保存先] を指定
➡ 操作を行う ➡ [記録終了] を押す

▼ マクロの自動記録で、操作内容をコードにする

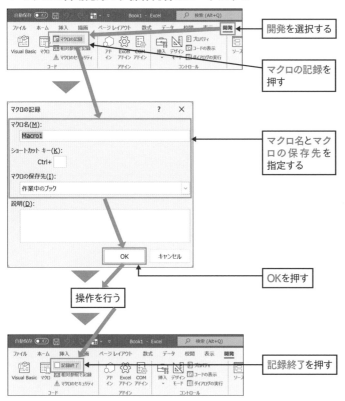

VBEを開いて確認してみましょう。

すると、保存先として指定したブックに標準モジュールが追加され、そこにマクロが記録されています。

あとは、記録されたマクロのキーワードを調べていけば、自分の使いたい機能に対応するプロパティやメソッドは、どのように記述すればいいのかを調べることができます。

▼ 記録されたマクロで、操作に対応するコードを調べる

```
(General)                                              ▼ │ Macro1
Sub Macro1()
'
' Macro1 Macro
'
'
    Range("B2:D5").Select
    Selection.Find(What:="成", After:=ActiveCell, LookIn:=xlValues, LookAt:= _
        xlWhole, SearchOrder:=xlByRows, SearchDirection:=xlNext, MatchCase:=False _
        , SearchFormat:=False).Activate
    Range("D4").Select
End Sub
```

自動記録機能で作成されたマクロが表示されます。

へえ！ 自動でコードまで書いてくれるのか！ それはすごい。

すべての操作が記録されるというわけではありませんが、Excelの基本機能であればほとんどOKです。ものすごく便利な機能ですよ。

ただ、作成されるコードは「実況中継」的なところがあって、冗長なものになりがちでもあります。例えば、「セル範囲B2:D5を検索する」と書けば済むところを、「セル範囲B2:D5を選択しました！」「さらに選択した場所を検索しました！」「そして、結果を選択しましたー！」というような具合です。

そうなんだ。余計なものまで書いちゃうんだね。それでも、オブジェクトやプロパティ・メソッドを調べる手がかりになるのはありがたいよ。

そうですね。自分の自動化したい機能のサンプルがWebや書籍ではなかなか見つからない場合には、「まずはマクロの自動記録で記録をしてみて、それを元にカスタマイズしていく」なんて使い方もできますね。

リファレンス系の書籍を手元に置いておく

　必要なコードを調べる方法はいろいろとありますが、手元に1冊、**リファレンス系の書籍**があると心強いです。さまざまな書籍が発売されていますが、手に取ってみて、自分の業務や好みに合ったものを選ぶのがよいでしょう。

Webでの検索は便利なのですが、結局検索するのに時間がかかりすぎてしまって、かえって効率が悪い、なんてことも起こりがちです。特にマクロにさわりたての頃は、1冊リファレンスを用意しておいて、まずはそれで調べてみる、という方法が一番速いと思いますよ。

確かに、あちこち探し回る手間は省けそうだね。そこで見つからなかったら検索すればいいだろうしね。

HINT 文字列と数値

73ページでは、プロパティに値を設定する例として、次のコードを紹介しました。

```
Range("A1").Value = "新しい値"
```

これは、セルA1のValueプロパティ（セルの値を管理するプロパティ）に、「新しい値」という文字列を設定しています。このように、プロパティやメソッドの引数として文字列を使う場合は「"（ダブルクォーテーション）」で挟んで入力します。

数値を使用する場合は「"」で挟まずに、そのまま入力します。

```
Range("A1").Value = 1234
```

次の例のように、数値を「"」で挟んで入力すると、見た目は数値でも、コード的には文字列として認識されます。

```
Range("A1").Value = "1234"
```

プロパティやメソッドの引数には「数値」しか利用できないものもありますので、注意が必要です。

演習 プロパティやメソッドを変更する

次のコードは、「1つ目のシート名を『商品一覧』に設定する」という内容なのですが、これを、「1つ目のシート名を『取引先一覧』に設定する」「1つ目のシート名をセルA1に入力されている値に設定する」コードへと変更して下さい。なお、シート名を管理するプロパティは、「Nameプロパティ」です。

▼1つ目のシート名を『商品一覧』に設定する

`Chapter04¥Sample07.txt`

```
Sub Macro1()
    'シート名を変更
    Worksheets(1).Name = "商品一覧"
End Sub
```

よし、Nameプロパティに設定する値を変更すればよい、というわけだね。設定する場合には、「プロパティ・イコール・値」だから、値の部分を変更すればOKだね。ということは、1つ目の答えはこうだね。

▼1つ目のシート名を『取引先一覧』に設定する

`Chapter04¥Sample08.txt`

```
Sub Macro2()
    'シート名を変更
    Worksheets(1).Name = "取引先一覧"
End Sub
```

そして2つ目。「値」の部分をセルA1の内容か…。確かセルの値を知るプロパティは「Valueプロパティ」だった。ということは、「値」の部分をこう変更すればいいのかな。

▼1つ目のシート名をセル A1 に入力されている値に設定する

`Chapter04¥Sample09.txt`

```
Sub Macro3()
    'シート名を変更
    Worksheets(1).Name = Range("A1").Value
End Sub
```

正解です! プロパティに設定する値をカスタマイズしたい時のポイント
は、「プロパティ・イコール・値」の「値」の部分を変更することです。「プロ
パティ・イコール」という部分を見つけ、その後ろに続く箇所を変更すると
いう考え方もできますね。

では、続いての問題です。次のコードは、図の一覧表からフィルター機能を
使って、「性別」の値が「男」のデータを抽出するものです。これを、「『担当
者』が『黒木』であるものを抽出する」ように変更して下さい。なお、抽出を
行うAutoFilterメソッドの引数は、表のようになっています。

▼ 抽出を行う一覧表

	A	B	C	D	E	F	G	H	I
1									
2	ID	氏名	性別	年齢	担当者	最終連絡日	住所		
3		1 佐野　晃史		43	古川	3月10日	東京都文京区　○○○-○		
4		2 前田　研治	男	29	黒木	2月14日	岐阜県美濃加茂市　×××		
5		3 前田　智子		27	黒木	3月8日	愛知県名古屋市　△△△-△		
6		4 星野　亜里沙	女	19	黒木	3月10日	新潟県長岡市　○○○-○		
7		5 増田　雪乃	女	19	黒木	2月26日	東京都八王子市　×××-××		
8		6 佐野　遥	男		古川	2月18日	静岡県清水市　△△△-△		
9		7 矢部　剛史		52	小野寺	3月3日	静岡県富士宮市　××-×		
10		8 宮崎　洋平	男	33	小野寺	3月5日	東京都千代田区　○○		
11		9 三田　智史	男	27	黒木	2月4日	福井県福井市　△△△-△		
12		10 太田川　美奈	女	23	古川	1月20日	大阪府吹田市　□□□		
13									
14									
15									
16									

▼ フィルター機能を使って、「性別」が「男」のデータを抽出する

```
                                                        Chapter04¥Sample10.txt
Sub Macro4()
    Range("B2:H12").AutoFilter Field:=3, Criteria1:="男"
End Sub
```

▼ AutoFilterメソッドの引数（抜粋）

引数名	説明
Field	抽出を行うフィールド番号。一番左側が「1」となる
Criteria1	抽出する値や式

ええと…、操作の対象となるセル範囲は変わらないわけだから、オブジェク
ト指定部分はそのままでOKと。実行したい操作もフィルターで同じだから
メソッド名もそのままでOK。そして、フィルターの内容を変更するわけだ
から、引数の内容を変更するわけだな。えーっと、2つの引数の説明を確認
して、「担当者」が「黒木」というようにするには…こうかな？

▼ フィルター機能を使って、「担当者」が「黒木」のデータを抽出する

```
Sub Macro5()
    Range("B2:H12").AutoFilter Field:=5, Criteria1:="黒木"
End Sub
```

これまた正解です！　メソッドを実行する際の細かな設定をカスタマイズするポイントは引数ですね。引数部分は、メソッド名に続いて記述されているコードの部分になりますね。VBAでは、このような仕組みでオブジェクトのプロパティやメソッドを指定・修正していきます。

サンプルファイル　Chapter04¥S04_演習.xlsm

HINT 押さえておきたい追加・削除のルール

Excelを操作する際には、「ブックを作成する」「ワークシートを追加する」「グラフを作成する」「テーブル範囲を作成する」等、何かを「追加」したり、「作成」する機会が多くあります。

これらの追加操作は多くの場合、**Addメソッド**を使用します。では、どのオブジェクトに対してAddメソッドを使用するのでしょうか？　実は、その対象は「追加するオブジェクトを管理するコレクション」です。VBAでは、コレクション自体もプロパティやメソッドを持っています。そして、コレクションに、新しいメンバーを追加するには、Addメソッドを使用します。

```
'新規ブックを追加（作成）
Workbooks.Add

'新規ワークシートを追加
Worksheets.Add After:=Worksheets(2)

'名前付きセル範囲を追加
ThisWorkbook.Names.Add "顧客テーブル", Range("A1:C10")
```

ブックを追加する場合には「WorkbooksコレクションのAddメソッド」、ワークシートを追加するには「WorksheetsコレクションのAddメソッド」、名前付きセル範囲を追加するには「NamesコレクションのAddメソッド」を使用する、といった具合です。

コレクションの種類によって引数は異なりますが、「追加する場合にはコレクション
に対してAdd」というルールは変わりません。「**コレクション.Add**」を見かけたら、そ
の部分で新しいオブジェクトを追加しているんだな、ということがわかりますね。
　一方、「セルを削除する」「シートを削除する」等、オブジェクトを削除する場合の多
くは、**Deleteメソッド**を使用します。こちらは、削除したいオブジェクトに対して使
用します。

```
'1つ目のワークシートを削除
Worksheets(1).Delete

'セルA1を削除
Range("A1").Delete

'名前付きセル範囲「顧客テーブル」を削除
ThisWorkbook.Names("顧客テーブル").Delete
```
Chapter04¥Sample13.txt

　いくつか例外はありますが、「**追加はコレクションにAdd、削除は個々のオブジェ
クトにDelete**」と覚えておくと、カスタマイズの手がかりとなるでしょう。

HINT 頼りになるのはやっぱり「アンドゥ」機能

　コードを修正中に書き損じてエラーになってしまった場合に頼りになるのが、**アン
ドゥ機能**です。VBEのツールバー内の「元に戻す」ボタンを押すか、Ctrl＋Zキーを押
すと、書きなおしていた部分を1つ手前の状態に戻してくれます。まずはエラーの出
ていなかった状態に戻して、あらためて修正を進めましょう。

05

セルの値の計算

05-01 数値や文字列を使う時のルールを理解する

数値の書き方

　マクロのコードでは、数値や文字列、日付といった「値」を利用します。これらは、次のようなルールで記述します。

　コード内で**数値**を利用する場合は、そのまま数字を記述します。

サンプルファイル　Chapter05¥S05_値と式の記述方法.xlsm

▼**コード内で数値を利用する場合の書き方**

```
Range("A1").Value = 10
```
Chapter05¥Sample01.txt

文字列の書き方

　コード内で**文字列**を利用する場合は、「"(ダブルクォーテーション)」で挟んで記述します。「文字」の場合も同様です(28ページ)。

▼**コード内で文字列を利用する場合の書き方**

```
Range("A1").Value = "文字列"
```
Chapter05¥Sample02.txt

日付や時間の書き方

　コード内で**日付**や**時間**を利用する際には、「#(シャープ)」で、「2023/4/27」「10:30」等の日付や時間として読み取れる値を挟んで記述します。記述後は、「#月/日/年#」「#時:分:秒 AM/PM#」という順番での形式に自動変換されます。

▼**コード内で日付や時間を利用する場合の書き方**

```
Range("A1").Value = #4/27/2023#
Range("A2").Value = #10:30:00 AM#
```
Chapter05¥Sample03.txt

▼ 入力した値が自動的に変換される

入力した値が自動的に変換されます。

　ただ、日本ではこの形式はなじみがあまりないこともあり、読みにくいですね。そのため、次のように**DateValue関数**（168ページ）等を使って、日付形式の文字列を日付値に変換するよう記述する場合もあります。

▼ 文字列を日付に変更する

Chapter05¥Sample04.txt

```
Range("A3").Value = DateValue("2023/4/27")
Range("A4").Value = DateValue("4月27日")
Range("A5").Value = TimeValue("10:30")
```

数値はそのまま、文字列は「"」で挟む。日付は「#」で挟む、と。数値と文字列はわかりやすいけど、日付はちょっと戸惑うね。自動的に読みにくい形式に変換されちゃうし。

そうですね。日付は「シリアル値」という考え方で扱われるので、ちょっと特殊になっちゃうんですよね。とりあえずは、「**シャープで挟まれているコードを見かけたら、この部分は日付を指定しているんだな**」と理解できればOKですよ。

 数値はそのまま、文字列は「"」で、日付は「#」で挟みます。

HINT シリアル値とは何か

　シリアル値は、「基準日からの経過日数」を使って日時や時刻の値を管理する仕組みです。Excelでは、シリアル値の「1」は1900年1月1日、「2」は1900年1月2日となります。2023年1月1日は「44927」となります。

　また、「1日」つまり24時間の単位が「1」ですので、その半分の「0.5」は「12時間」というように捉えます。シリアル値の「44927.5」は、「2023年の1月1日の12:00」というわけですね。しかし、いきなり「44927」と言われても何を意味する数値なのかわかりませんね。そこで、VBE上では、この値を「#日付#」の形式で表示・記述できるようになっているわけです。

05-02 演算子を使って計算する

演算子を使った計算

　VBA内で行う各種の計算のことを「演算」と呼びます。そして、この演算を行うための記号を、**演算子**(えんざんし)と呼びます。

　足し算・引き算といった計算を行うには、**算術演算子**を使用します。計算を行うための演算子には、次の7種類が用意されています。

▼ 算術演算子と使用例

演算	演算子	使用例	結果
加算	+	5 + 2	7
減算	-	5 - 2	3
乗算	*	5 * 2	10
除算	/	5 / 2	2.5
除算の商の整数部分	¥	5 ¥ 2	2
剰余 (余り)	Mod	5 Mod 2	1
累乗 (べき乗)	^	5 ^ 2	25

　演算子を使う際には、次に示す順番で記述します。

算術演算子の使い方

数値1 演算子 数値2

▼ 算術演算子を使ったコードの記述例

```
Chapter05¥Sample05.txt
'加算
Range("E3").Value = 5 + 2

'減算
Range("E4").Value = 5 - 2

'乗算
Range("E5").Value = 5 * 2
```

```vba
'除算
Range("E6").Value = 5 / 2

'除算の商の整数部分
Range("E7").Value = 5 ¥ 2

'剰余
Range("E8").Value = 5 Mod 2

'べき乗
Range("E9").Value = 5 ^ 2
```

▼ **演算子を使った演算の結果が表示される**

	A	B	C	D	E	F	G
1							
2		演算の種類	演算子	使用例	結果		
3		加算	+	5 + 2	7		
4		減算	-	5 - 2	3		
5		乗算	*	5 * 2	10		
6		除算	/	5 / 2	2.5		
7		除算の商の整数部分	¥	5 ¥ 2	2		
8		剰余	Mod	5 Mod 2	1		
9		累乗(べき乗)	^	5 ^ 2	25		
10							

←　それぞれの演算の結果が
表示されています。

　ちなみに、値そのものや、値と演算子を利用して「何らかの『答え・結果』が出るコード」のことを、**式**と呼びます。

式の書き方は、算数の授業で習ったのと同じで「数値 演算子 数値」か。「×」や「÷」という記号じゃなくて、「*」や「/」を使うんだね。

記号(演算子)の種類が違うだけで書き方は同じですね。また、1つの式のなかで複数の演算子を使った場合には、次の優先順位で計算されます。これも算数のルールと似ていますね。

▼ **演算子の優先順位(上のものほど優先される)**

演算	演算子
累乗	^
乗算・除算	* /
除算の商の整数部分	¥
剰余	Mod
加算・減算	+ -

「掛け算・割り算は、足し算・引き算より先に計算する」というアレだね。ということは、「カッコで囲んだ部分は先に計算する」というルールもあったりするのかな？

あります。「2 + 3 * 4」という式の答えは、「2 + 12」で「14」になり、「(2 + 3) * 4」という式の答えは、「5 * 4」で「20」になります。

! 計算の種類は演算子で指定しましょう。ルールは普通の計算と同じです。

&演算子による文字列の連結

「演算子」と聞くと、何かの算術的な計算を行うというイメージがありますが、実は**文字列と文字列を繋ぐ**という処理を行うための演算子も用意されています。それが、「**&**」演算子です。

&演算子は、連結したい2つの文字列を繋いだ結果を返します。**文字列連結演算子**とも呼ばれます。

&演算子の使い方

連結先の文字列 & 連結する文字列

▼ **文字列連結演算子を使ったコードの記述例**

```
Chapter05¥Sample06.txt
'前後の文字を連結する
Range("C5").Value = "Hello" & "World"

'セルの値同士を連結する
Range("C6").Value = Range("C2").Value & Range("C3").Value

'文字列と数値を連結する
Range("C7").Value = "Excel" & 2021

'間に改行を挟んで連結する
Range("C8").Value = "1行目" & vbCrLf & "2行目"
```

ふうん。「&」で繋ぐのか。これは見ただけでなんとなくわかるね。

▼ & 演算子を使って文字列を連結した結果が表示される

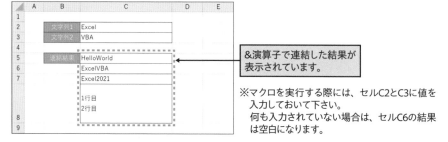

&演算子で連結した結果が表示されています。

※マクロを実行する際には、セルC2とC3に値を入力しておいて下さい。
何も入力されていない場合は、セルC6の結果は空白になります。

VBAでは文字列同士を「&」で繋いだ場合、あるいは文字列と数値を「&」で繋ぐと、数値を文字列に自動変換して文字列と数値を連結した値を返します。数値同士を連結することもできます。

へえ。「"Excel" & 2021」という演算は、「Excel2021」という文字列が答えになるわけだね。

　ちなみに、VBAでは「+」演算子でも文字列を連結できます。ほとんどの場合は、「&」で連結していますが、たまに「+」で連結するコードを記述している場合もありますので、こちらの書き方も押さえておきましょう。なお、+演算子では文字列と数値の連結はできませんし、数値同士の場合は演算(加算)した結果を返します。

▼ + 演算子を使った文字列の連結

Chapter05¥Sample07.txt

```
Range("C5").Value = "Hello" + "World"
```

▼ 「&」と「+」で結果が異なる場合がある

```
■文字列同士
Range("A1").Value = "Hello" & "World"     ⟶  HelloWorld
Range("A1").Value = "Hello" + "World"     ⟶  HelloWorld

■文字列と数値
Range("A1").Value = "Excel" & 2021        ⟶  Excel2021
Range("A1").Value = "Excel" + 2021        ⟶  エラーになる！

■数値同士
Range("A1").Value = 1234 & 5678           ⟶  12345678
Range("A1").Value = 1234 + 5678           ⟶  6912
```

HINT 覚えておくと便利な「vbCrLf」

　文字列連結演算子「&」と一緒に覚えておきたいキーワードが、**vbCrLf**です。

　vbCrLfは、**改行**を表す定数（119ページ）です。任意の文字列を連結する時にvbCrLfを挟み込んでおくことで、セルに入力する文字列や、メッセージボックスに表示する文字列を、その位置で改行することができます。

```
                                                    Chapter05¥Sample08.txt
MsgBox "1行目" & vbCrLf & "2行目"
```

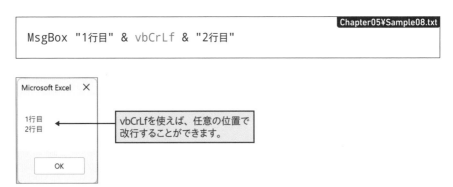

HINT イミディエイトウィンドウでちょっとした計算の確認

　ちょっとした計算の結果を確かめたい時は、イミディエイトウィンドウ（151ページ）を利用するのが便利です。イミディエイトウィンドウは結果を表示するだけでなく、1行分のステートメントを直接記述して実行できる、いわゆる「コンソール」の機能を持っています。例えば、直接「? 10*2」と記述して**Enter**キーを押すと、次の行に計算結果である「20」が表示されます。

　ちなみに、この場合の「**?**」は、「**Debug.Print**」を簡単に記述したものとして機能しています。「Debug.Print」は、VBEのイミディエイトウィンドウに変数の値等を表示するための命令です。

05-03 代入演算子で値を代入する

＝ 演算子で値を代入

演算子のなかでも特に使用頻度が高いのが、「＝（イコール）」演算子です。＝演算子を**代入演算子**と呼び、**代入**（だいにゅう）という操作を行います。

代入という操作は、実はこれまでに紹介した例でも何度も利用してきています。あらためてその構文を見てみましょう。

代入演算子の使い方

左辺の式　＝　右辺の式

代入演算子は、「**左辺の式　＝　右辺の式**」という形式で記述します。

「左辺の式」に多く使われるのは、任意のオブジェクトのプロパティや、変数(104ページ)等です。「右辺の式」に多く使われるのは、数値や文字列といった値です。

この式は、「左辺の式のものに、右辺の式の値を入れる」という意味になります。このように**値を入れる操作**を「代入」と呼びます。

▼ 代入は「値を入れる」操作を意味する

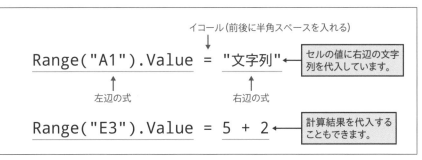

```
Range("A1").Value = "文字列"
```
イコール(前後に半角スペースを入れる)
左辺の式　　　　　　　右辺の式
セルの値に右辺の文字列を代入しています。

```
Range("E3").Value = 5 + 2
```
計算結果を代入することもできます。

「カゴのなかにリンゴを入れる」という動作を代入演算子を使って表現すると、「カゴ＝リンゴ」という書き方をしているようなものですね。

「カゴとリンゴが等しい」って意味じゃないんだね。

 はい。この場合の「=」は「等しい」ではありません。「代入する」という意味になります。

「=」を見かけたら、「**左側は『何に入れるか』を指定している部分で、右側は『どんな値か』を指定している部分**」と判断できます。カスタマイズする際には、「入れ物」と「値」のどちらを修正したいのかを考えて、変更する対象を選びましょう。

▼「=」は「等しい」ではなく、「代入」を意味する

カゴ = "リンゴ"

×カゴはリンゴです
○カゴにリンゴを入れます

> ❗ 「=」は「代入」を行っています。左側が入れ物、右側が値と覚えておきましょう。

HINT 「=」は「条件式」にも使用する

「**=」は代入を行う**と覚えてもらって構いません。しかしVBAでは、「=」を「代入」ではなく、「等しい」という意味で使う場合もあります。

条件分岐等の「条件式」では、「左と右が等しいかどうか」を判定するために「=」を用いることがあります。Ifステートメント（129ページ）等とセットで使っているかどうかで、どちらの意味なのかを判断しましょう。

演習 式を変更する

次のコードは、「メッセージボックスに、セルA1に入力されている値に10を掛けた答えを表示する」ものです。これを「**10で割った答えを表示する**」ように変更してみましょう。

▼ メッセージボックスに、セル A1 の値に「10」を掛けた答えを表示する

```
                                              Chapter05¥Sample09.txt
Sub Macro1()
    Msgbox Range("A1").Value * 10
End Sub
```

これは簡単だね。計算方法は演算子で指定するわけだから、乗算の「*」の部分を除算の「/」に変更すればOKだね。

▼ メッセージボックスに、セル A1 の値を「10」で割った答えを表示する

```
                                              Chapter05¥Sample10.txt
Sub Macro2()
    Msgbox Range("A1").Value / 10
End Sub
```

正解です。では、続いての問題です。次のコードは、「1つ目のワークシートのA列の最新行の位置に『VBA』と入力」しています。これを、「**セルC5に『VBA』と入力**」するよう変更して下さい。

▼ 1つ目のワークシートの A 列の最新行に「VBA」と入力する

```
                                              Chapter05¥Sample11.txt
Sub Macro3()
    Worksheets(1).Range("A" & Rows.Count). _
        End(xlUp).Offset(1, 0).Value = "VBA"
End Sub
```

なんだかよくわからない長いコードだね。しかも「 _」で改行までしてあるのか。ええと…、修正の内容としては、「代入する対象をセルC5に変更」、対象を変えるのだからイコールより左側。ここは「Worksheets(1).….Value」とワークシートを指定してある箇所からすべてドットで繋がって最後が「Value」…。Valueより前は、一括で全部変えてしまってもエラーはなさそうだね。ここを、「セルC5」を指定するようにするには…こうかな？

▼ セル C5 に「VBA」と入力する

Chapter05¥Sample12.txt

```
Sub Macro4()
    Range("C5").Value = "VBA"
End Sub
```

これまた正解です。ちょっと極端な問題でしたが、イコールの位置を目安に、修正する箇所を絞り込んでいけましたね。カスタマイズを行う際には、演算子を目安にステートメントを切り分けて、切り分けた部分の意味を1つひとつ確認していくと、修正するポイントを見つけやすくなります。

サンプルファイル　Chapter05¥S05_演習.xlsm

変数の利用方法

06-01

変数の仕組みを理解する

何かを記録する仕組みが「変数」

Excelで作業している際に、一時的な計算の結果や複雑な関数式の途中経過を適当なセルにメモすることもあるかと思います。VBAでも、このような「後で使いたいものをメモする」ための便利な機能が用意されています。それが**変数**(へんすう)です。

変数は、事前に**「値を保存しておくための『名前』」を決めておき、その名前で値を扱えるようにする仕組み**です。

変数を利用する際の典型的な構文は次のようになります。

変数の利用

```
Dim 変数名
変数名 = 値
```

まず、「**Dim**」に続けて、変数として使用したい名前(**変数名**)を記述します。続いて、「**変数名 = 値**」の形式で、変数に値を代入(99ページ)します。以降は、コード内で変数名を記述すれば、代入した値のかわりとして扱えるようになります。

なお、この動作を「**Dimステートメントで変数を宣言する**」と言います(ステートメントは「命令文」を意味します)。

例えば「total」という名前で変数を宣言し、計算結果を代入するには、次のように記述します。代入した結果は、MsgBox関数(172ページ)でメッセージボックスに表示しています。

サンプルファイル Chapter06¥S06_変数.xlsm

▼ **変数の宣言と値の代入**

```
Chapter06¥Sample01.txt
'「total」という名前の変数を宣言
Dim total

'変数totalに「10×3」の結果である「30」を代入
total = 10 * 3
```

```
'変数totalの値を表示
MsgBox total
```

▼ 変数に代入した値が表示される

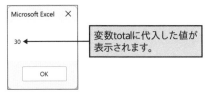

変数totalに代入した値が
表示されます。

▼ 変数を宣言して、値を代入する

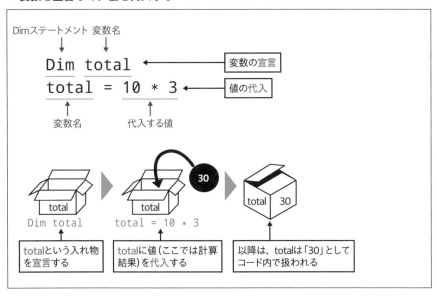

変数名は、以下のルールを守れば自由に付けて構いません。これはマクロ名の時と同じです(41ページ)。

変数名の付け方

- 英数字・漢字・ひらがな・カタカナ・「_(アンダーバー)」が使用できる。
- 数値や「_」から始まる名前は使えない。
- 記号やスペースは使用できない。また、VBAの予約語(関数名やステートメントの名前等としてVBA側で設定されているもの)と重なる名前も使用できない。
- 英字の大文字と小文字は区別されない。

複数の変数を宣言する場合には、Dimステートメントの後ろに、「,（カンマ）」で区切って複数の変数名を記述します。「Dim a, b, c」と記述すれば、「a」「b」「c」の3つの変数を**まとめて宣言**できます。

```
                                              Chapter06¥Sample02.txt
Dim a, b, c

a = "1つめ"
b = "2つめ"
c = "3つめ"

MsgBox a & b & c
```

▼ 複数の変数をまとめて宣言することができる

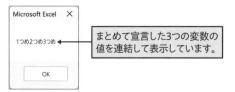

まとめて宣言した3つの変数の
値を連結して表示しています。

HINT 他のプログラミング言語経験者がミスしがちな変数名

VBAでは、変数名の英字の**大文字・小文字は区別されません。**「NUM」でも「num」でも、はたまた「Num」でも同一の変数として扱われます。VBA以外のプログラミング言語では、大文字・小文字を区別するものもあるので、プログラミングの学習経験のある方であれば、「Range型のオブジェクトを扱う変数」として、わかりやすいように小文字で「range」と名前を付けたくなるかもしれませんが、これは「Range」と同じと判断されるため、既存の「Range」を使ったセル指定ができなくなってしまいます。単にオブジェクト名を小文字にした変数名は避けるようにしましょう。

「データ型」の指定

Webや書籍から変数を利用したサンプルをコピーしてきた際には、下記のようにDimステートメントに、**Asキーワード**を組み合わせて記述してあるものを多く見かけることでしょう。

▼ As キーワードを組み合わせて宣言している例

```
                                                    Chapter06¥Sample03.txt
Dim total As Long
Dim targetName As String
```

これは、Asキーワードを使うことで、「**この変数には、○○という種類のものを入れて使う予定です**」と、変数で扱うものの種類を指定しています。この扱うものの種類を**データ型**と呼びます。

データ型を指定して変数を宣言する際の構文は、次のようになります。

データ型の指定

```
Dim 変数名 As データ型
```

データ型は、数値や文字列、日付等、用途に合わせて用意されています。よく使われるデータ型には、次のようなものがあります。

▼ よく使われるデータ型

データ型	説明
String	**文字列型**
Integer	**整数型**：「-32,768 ～ 32,767」の範囲の整数
Long	**長整数型**：「-2,147,483,648 ～ 2,147,483,647」の範囲の整数
Single	**単精度浮動小数点数型** 正の値：1.401298E-45 ～ 3.4028235E38 負の値：-3.4028235E38 ～ -1.401298E-45
Double	**倍精度浮動小数点数型** 正の値：4.94065645841246544E-324 ～ 1.79769313486231570E308 負の値：-1.79769313486231570E308 ～ -4.94065645841246544E-324
Date	**日付型**：年月日・時分秒を扱う 西暦100年1月1日～西暦9999年12月31日
Currency	**通貨型**：-922,337,203,685,477.5808 ～ 922,337,203,685,477.5807
Object	**汎用オブジェクト型**：どんなオブジェクトでも代入可能
Variant	**バリアント型**：どんな値・オブジェクトでも代入可能
固有オブジェクト	RangeやWorksheet等、**特定の種類のオブジェクト**

▼ データ型で、変数に入れるものの種類を指定することができる

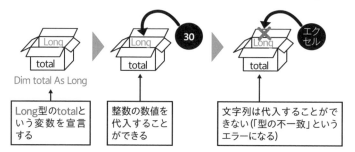

Dim total As Long

| Long型のtotalという変数を宣言する | 整数の数値を代入することができる | 文字列は代入することができない（「型の不一致」というエラーになる） |

うわあ。なんだか一気にややこしいのが出てきたなあ。えーと、「As」の後ろに、変数で扱うものの種類が書いてあるということだよね。

そうです。カスタマイズをする際には、Asの後ろのデータ型をチェックしてみると、その変数がどんな役割で使われるのかを判断する手がかりになります。ちなみに、データ型を指定せずに宣言した変数は、自動的に「Variant型」で宣言されたものとして扱われます。

Variant型…、えーと「どんな値・オブジェクトでも代入可能」と。なんだ、全部これでよいんじゃないの？

扱いたいもののデータ型が決まっていなかったり、よくわからない場合、あるいは指定するのが面倒な場合にはそれでもOKなのですが、データ型を指定しておいた方が、いろいろとメリットがあるんです（113ページ）。ですので、できるかぎり指定しておいた方がよいんです。

❗ Dimステートメントは変数を宣言し、Asキーワードの後ろをチェックすると、その変数のデータ型がわかります。

HINT 変数を使う時はデータ型に注意する

変数は代入した値のかわりとして、算術演算子と組み合わせた演算（94ページ）に使用することができます。また、106ページの例でも出てきたように、文字列型の変数を「&」演算子で連結（96ページ）することもできます。

変数を使って演算や連結した結果を、変数に代入することもできます。次の例では、「変数numに代入された値に1を加えた結果」を変数totalに代入しています。

```
total = num + 1
```

自分自身の値を使って代入することも可能です。次のように記述することで、自分の値を「1」ずつ増やしていく、という処理を作ることもできます。

```
num = num + 1
```

変数を式に使う時は注意が必要です。「+」演算子は、数値に対して使用した場合と、文字列に対して使用した場合では結果が異なる場合があります（97ページ）。また、数値型の変数には、文字列を代入することはできません。

データ型を間違えると、思い通りの結果にならなかったり、エラーが発生したりします。式の左辺と右辺でデータ型が異なったりしないようにしましょう。

01
変数の仕組み

HINT 浮動小数点数とは

浮動小数点数とは、少ない桁で広い範囲の数を表現できる仕組みです。特に、プログラミングの分野で**小数を扱う場合**に広く使われています。VBAで小数を扱いたい場合にも、「Single」や「Double」等、浮動小数点数型のデータ型を指定します。

ちなみに、浮動小数点数はその性質上、計算の誤差が起きることがあります。詳しく知りたい方は、「浮動小数点数」をキーワードに、Webや書籍で調べてみましょう。

HINT データ型を指定するメリットは？

変数にデータ型を指定するメリットには、2つの側面があります。1つ目は、「どんなデータを扱えばいいのか」がわかっているため、処理速度が向上する点です。これは、どちらかと言えばコンピュータにとってのメリットです。

2つ目は、「どんな名前でどんなデータを扱うか」がわかっているため、スペルミスをした際や、おかしなデータを代入してしまった時に注意を促すメッセージを表示したり、簡易入力ができる点です（113ページ）。これは、どちらかと言えばコードを作成する人間向けのメリットですね。

06-02 2種類の代入方法を使い分ける

「値」の代入と「オブジェクト」の代入

変数には値やオブジェクトを代入して使用しますが、その際の方法は2種類用意されています。

値を代入するには、変数名と値を「=」演算子で繋いで記述します。

変数への値の代入

```
変数名 = 値
```

それに対して、オブジェクトを代入する際には、**Setステートメント**を利用して次のように記述します。

変数へのオブジェクトの代入

```
Set 変数名 = オブジェクト
```

次のコードは、変数「price」に「1200」という値を代入し、変数「totalRange」に「1つ目のワークシートのセルB2」を代入して利用します。

なお、ここではDimステートメントに続けて、2つの変数をデータ型の指定を行いながらまとめて宣言しています。このように**型を指定しながらまとめて宣言**することも可能です。

▼2種類の代入方法を使用する

```
                                            Chapter06¥Sample04.txt
'2種類の変数を宣言
Dim price As Long, totalRange As Range

'それぞれに代入
price = 1200
Set totalRange = Worksheets(1).Range("B2")

'変数名を使って処理を作成
totalRange.Value = price * 10
```

▼2種類の変数にそれぞれ値を代入して、処理に利用している

変数priceに代入された値を、変数totalRangeに代入されたセルに入力しています。

へえ。セルみたいなオブジェクトも変数に代入して使えるのか。

はい。その場合は、**Setステートメント**を使用します。オブジェクトを代入した変数は、「変数名.プロパティ」「変数名.メソッド」のように記述すれば、代入したオブジェクトについてのプロパティやメソッドが使えます。

なるほど、これは便利だね。オブジェクトの場合はSetステートメントね。ということは、コードのなかに**Setステートメント**を見かけたら、「この変数にはオブジェクトを代入しているんだな」とわかるんだね。カスタマイズの時の手がかりになるね。

> 🛈 変数にオブジェクトを代入する場合は、Setステートメントを使いましょう。

HINT 「Nothing」の代入

　Webや書籍からサンプルを探していると、「Set 変数名 = Nothing」というように、「Nothing」を代入しているコードが出てきます。これは何をしているのかと言うと、**「変数と、代入したオブジェクトの関連付けをクリアする」**操作をしています。これは、「もうこの変数ではオブジェクトを扱わないので後片付けをしている」ようなコードです。見かけたら、「後片付けをしているんだな」くらいに捉えておきましょう。

06-03 変数の使い方のコツとクセを押さえる

何のために変数を使うのか

　変数は非常に便利な仕組みなため、多くのマクロで使用されます。では、どのような用途で使用していることが多いのでしょうか。いくつかのパターンを紹介します。

　まずは**変数を使うことのメリット**を整理しておきましょう。

● 値を保存できる

　一番シンプルな理由です。長すぎる計算式が必要な場合等に、変数を使って**式を区切る**ことで、整理整頓することもできますね。

● 値をわかりやすい名前で扱える

　見方を変えると、変数は「**値やオブジェクトに自分のわかりやすいように名前を付ける**」仕組みと言えます。

　例えば、「50円の商品50個の合計を計算する」というコードは、次のように変数を使わなくても記述できます。

▼変数を使わないコード

```
                                                    Chapter06¥Sample05.txt
Range("A1").Value = 50 * 50
```

　しかし、このように記述するよりも、意図の読み取れる変数名を使って(これは、ちょっと極端な例ですが)、次のように記述することで、より内容がわかりやすくなります。

▼変数を使ったコード

```
                                                    Chapter06¥Sample06.txt
Dim 単価 As Long, 数量 As Long, 合計セル As Range
単価 = 50
数量 = 50
Set 合計セル = Range("A1")
合計セル.Value = 単価 * 数量
```

「なんだかよくわからないけど50と50を乗算して入力している」というコードよりも、「単価と数量それぞれの値、それに合計を入力するセルを準備して、合計金額を入力している」と、見ただけで処理内容が想像できます。

長いコードを書く必要がなくなり、変更に強くなる

変数に値やオブジェクトを格納してしまえば、毎回値やオブジェクトを指定する際に**長い式を書く必要がなくなります。**

次の例では、「Worksheets(2).Range("B2:D10")」というオブジェクトを3回利用していますが、これを「Range型のオブジェクトを格納する変数rng」を使うと、コードをスッキリとまとめることができます(Range型は固有オブジェクト型です。107ページ)。

▼ 変数を使わないコード

Chapter06¥Sample07.txt

```
Worksheets(2).Range("B2:D10").AutoFilter _
    Field:=3, Criteria1:="パン"
Worksheets(2).Range("B2:D10").Copy Destination:=Range("F2")
Worksheets(2).Range("B2:D10").AutoFilter
```

▼ 変数を使ったコード

Chapter06¥Sample08.txt

```
Dim rng As Range
Set rng = Worksheets(2).Range("B2:D10")

rng.AutoFilter Field:=3, Criteria1:="パン"
rng.Copy Destination:=Range("F2")
rng.AutoFilter
```

また、後から処理を行うオブジェクトを変更する場合のケースを考えてみましょう。最初のコードでは、3箇所すべてを変更しなければならないのに対し、変数を使ったコードの場合は、最初に変数rngに代入する部分だけを変更すればOKですね。

コード記述時に、ヒントの表示やエラーの確認ができる

RangeオブジェクトやWorksheetオブジェクト等の、特定のオブジェクトのデータ型を指定して宣言した場合には、コードの記述時に「変数名.」と入力した時点で、そのオブジェクトのプロパティやメソッドの**入力候補一覧のヒント**が表示されるようになります。

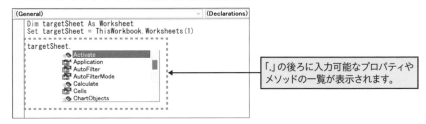

「.」の後ろに入力可能なプロパティや
メソッドの一覧が表示されます。

また、コードを実行する際も、変数のデータ型に合わないプロパティやメソッド
を間違えて記述してしまっていた場合には、コードを実行する直前のタイミング
で、エラーとして知らせてくれるようになります。

などなど、変数を使うと便利なことがたくさんあるのです。特に少し長めの
マクロを書こうと思ったら、変数を使わない方が珍しいくらいです。

初めは、「Dim ～」というパッと見ただけではよくわからない書き方に怖気
づいてしまいますが、ルールを覚えておけばとても便利ですし、コードの流
れを追ってカスタマイズする際の、重要な手がかりにもなります。

よく使われる変数名とその意味

VBAで変数を利用する際に、「よく利用される変数名」や「よく利用される名前
付けルール」をいくつか紹介します。

▼ 慣例的に名付けられることの多い変数名

変数名の例	扱う値の傾向
tmp temp	一時的な値を扱う変数。「一時的な」という意味の英単語「Temporary」が語源か
num str	それぞれ数値、文字列を扱う変数。数値を表す「Number」と、文字列を表す「String」を省略したのが語源か
buf	一時的な値を保管するための変数。データを一時的に蓄えておく仕組みである「Buffer(バッファ)」が語源か
i j	ループカウンタ用の変数。繰り返し処理(142ページ)と組み合わせて使う、カウンタ用の変数の名前の定番。語源は不明だが、慣例的にこの2つが使われる
arr	配列(150ページ)を扱う変数。配列を表す「Array」が語源か。「nameArr」「priceArr」のように、他の単語と組み合わせた名前も多い

bk　sh 等	特定のオブジェクト型の変数。オブジェクトのデータ型をごく短く縮めた名前。「bk」なら「Workbookオブジェクト」、「sh」なら「Worksheetオブジェクト」等
単価　数量 等	用途を表す日本語で宣言した変数。英単語ベースの名前よりもわかりやすいということで使用される場合が多い
foo　bar hoge 等	変数の説明を行うサンプルに多い。プログラミング関連の書籍で、昔から「適当なテスト用の名前」として人気のある名前。「犬と言えばポチ、猫と言えばタマ、変数と言えばfoo」というような感覚で使われている

▼ 変数名の末尾、もしくは先頭に特定の名前付けルールを持つ変数名

変数名の例	扱う値の傾向
○○Rng ○○Sht ○○Range 等	特定のオブジェクト型の変数。Rangeオブジェクトを扱うなら「tmpRng」や「tmpRange」、Worksheetオブジェクトを扱うなら「targetSht」のように、変数名の末尾にオブジェクトのデータ型が類推できる文字を使っている。「rangeGOUKEI」のように先頭に付けている場合もある
my○○	(日本での)変数の説明を行うサンプルに多い。著名なVBA解説者が「ここは変数ですよ」とわかりやすくするために「myRng」「mySht」等、先頭に「my」を付けた変数名で解説をしていたため、それがそのまま広まったと思われる
○○List	配列(150ページ)を扱う変数。いわゆる「List(リスト)」。繰り返し処理(142ページ)と組み合わせ、処理を行いたい対象をまとめている場合に多い。「nameList」や「bookList」等

　比較的よく見かけるパターンやルールをあげてみましたが、変数名の付け方というのは、サンプルを作成した人によっていろいろと異なるパターンがあります。「**このサンプルはどういうルールなのかな**」という意識を持ってコードを眺めてみると、コード中のどこで変数を使っているのかや、どういった役割の変数なのかということが理解しやすくなります。

もちろん、自分でコードを作成・カスタマイズする際に、自分なりの名前付けルールの変数名に書き換えてしまっても構いません。自分にとって、後から見返した時にもわかりやすいものにしておくのがお勧めです。

自分なりのルールね。よし、じゃあ僕の場合は変数名の先頭に「MY」を付けるようにしよう！「合計」を記入するセルなら、「MY_Range」いや、用途も加えて「MY_GOUKEI_Range」だ！

ふふ。独自のルールを決めておくと変数の名前付けも迷わなくなりますね。ただ、凝りすぎて長くなって、かえってわかりにくかったり、入力しにくいなんてことにならないように注意して下さいね。既存の変数名を書き換える場合には、書き換え漏れが発生しないように、VBEのメニューの[編集]－[置換]から利用できる、「置換」機能を使うのがお勧めですよ。

Webや書籍で紹介されているサンプルは、「決められたページの横幅のなかで、コードを桁折れせずに表示したい」という目的のために、少々短めの変数が好まれる傾向があります。自分のブックにコピーし、カスタマイズする際には、もう少し長めでわかりやすいものに変えてみるのもいいかもしれませんね。

! よく使われる変数名や、名前付けルールに注目すると、変数の用途が理解しやすくなります。

HINT 「Option Explicit」は変数の宣言漏れを防ぐ仕組み

実は、VBAで変数を扱う場合には、次のコードのように、特に宣言をしなくてもいきなり使えてしまいます。

```
                                                    Chapter06¥Sample09.txt
num = 10
num = num + 5
MsgBox num          '「15」と表示される
```

いきなり使用した変数は、Variant型で宣言されたと見なされ、どんな値やオブジェクトでも代入して使用できます。この仕組みは、手軽に変数を扱えて非常に便利な反面、次のようなうっかりミスを引き起こす原因にもなります。

```
                                                    Chapter06¥Sample10.txt
num = 10
nun = num + 5
MsgBox num          '「10」と表示される
```

　上述のコードは、2行目で「**num**」と書くつもりで「**nun**」とスペルミスをしています。しかしVBA側としては、「nunという新しい変数を別に用意して、それにnumと5を足した値を代入すればよいんだな」と解釈してしまいます。そして、困ったことにマクロのコードが長くなってくると、このようなうっかりミスによるエラーはなかなか見つからないのです。

　そこで、**変数の宣言し忘れ**を防ぎ、このようなうっかりミスを防ぐ仕組みが用意されています。その方法とは、モジュールの先頭に「**Option Explicit**」と記述するだけです。すると、モジュール内に宣言を行っていない変数がある場合、エラーとして表示してくれるようになります。

　とても便利な仕組みのため、Webや書籍で公開されているサンプルにも多く利用されています。参考にしたブックのモジュールの先頭に、「Option Explicit」の一文がある場合には、「**この部分は変数の宣言を強制しているんだな**」と捉えましょう。

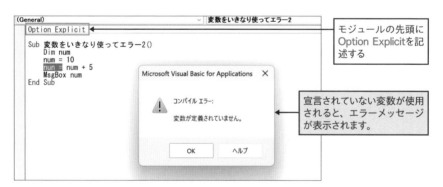

　ちなみに、この「Option Explicit」は、自動的に入力されるように設定することも可能です。VBEのメニューから、**ツール－オプション**を選択して表示される、「オプション」ダイアログボックス内の、**変数の宣言を強制する**にチェックを入れて、**OK**ボタンを押しましょう。すると、以降追加される標準モジュールは、あらかじめ「Option Explicit」が入力された状態で作成されます。

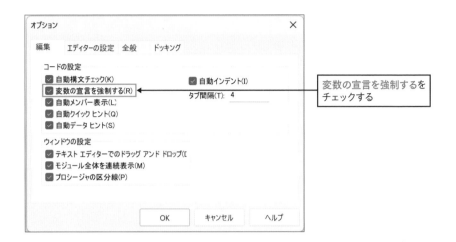

HINT オブジェクトなら何でも扱える「Object型」

変数のデータ型のなかには、「値・オブジェクトも含めて何でも扱える」Variant型がありますが、そのオブジェクト限定版、つまり「オブジェクトなら何でも扱える」データ型として**Object型**が用意されています。

例えば次のコードは、繰り返し処理（142ページ）を使って、ブックに含まれるすべてのシートのデータ型と名前を確認するものです。この時に扱う「シート」は、「ワークシート（Worksheetオブジェクト）」なのか「グラフシート（Chartオブジェクト）」なのかは実行してみるまでわかりません。

このような場合には、Object型で変数を宣言しておけば、どちらのデータ型のオブジェクトでも代入して使用することができます。

```
Dim sht As Object
For Each sht In ThisWorkbook.Sheets
    Debug.Print sht.Name, TypeName(sht)
Next
```

カスタマイズするコードのなかで「変数 As Object」を見かけたら、「この変数には何かオブジェクトを代入するつもりなんだな」と捉えるようにしましょう。

06-04 定数を使って値を指定する

定数を自分で宣言する

　VBAでは、変数とよく似た**定数**(ていすう)という仕組みも用意されています。定数は変数と同じように、「特定の値にわかりやすい名前を付けたもの」です。違いは、変数はコードの途中で値を代入して変更できますが、定数は**あらかじめ「定められた」値から変更できない**点です。

　この定数には、ユーザーが自由に定義できるものと、VBAであらかじめ用意された**組み込み定数**との2種類があります。

　定数を宣言する際には、次の構文でコードを記述します。**Const ステートメント**に続けて**定数名**を記述します。変数と同じく、データ型の指定は省略することもできます。宣言以降は、コード内で値のかわりに使用することができます。

定数の利用

```
Const 定数名 As データ型 = 値
```

　次のコードでは、定数「TAX」に、「0.1」という値を設定し、コード内で利用(メッセージボックスに表示)しています。

▼ **定数を利用する**

Chapter06¥Sample11.txt

```
Const TAX = 0.1
MsgBox "消費税は、" & 1000 * TAX & "円です"
```

▼ **定数を利用した演算の結果を表示する**

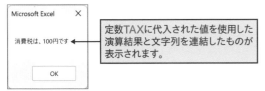

定数TAXに代入された値を使用した演算結果と文字列を連結したものが表示されます。

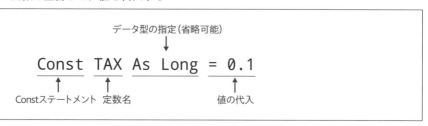

データ型の指定(省略可能)

Const TAX As Long = 0.1

Constステートメント　定数名　　　　　値の代入

　税率や商品の定価のように、コード内で値が変更されないことがわかっているものは、定数を使うようにしましょう。

宣言方法は、変数の場合とよく似ているね。違うのは変数名やデータ型を指定した後に、「＝値」と続けて値まで指定してあるところか。

定数は、一度値を設定したらコードの途中で変更できない仕組みですので、最初に値まで設定しておくわけですね。

なるほど。ところで定数の名前だけど、これも変数と同じように自由に付けていいの?

　定数の名前の付け方は、変数と同じルールです(105ページ)。ただ、定数の場合は、「**すべて大文字英数字で名前を付ける**」という慣例が広まっているので、すべて大文字で定数名を作成するのがいいかもしれません。
　逆に言うと、コードのなかですべて大文字の単語が出てきたら、「あ、これはユーザーが作成した定数を使っているのか」という見当がつきます。自分では使用しない場合でも、これを押さえておくとコードの内容が読み解きやすくなります。

選択肢を指定する「組み込み定数」と「列挙」

　組み込み定数は、VBAにあらかじめ用意されている定数です。いくつかの定数をひとまとめにした**列挙**(れっきょ)という仕組みと組み合わせて、メソッドの引数に渡す操作の種類の指定や、戻り値の結果判定等、**いくつかの選択肢から特定の値を指定する**場面でよく使われます。

例えば次のコードでは、セルの削除を行うDeleteメソッドを実行する際に、「左側に詰めるか」「上側に詰めるか」という2つの選択肢のうち、「左側に詰める」方を指定するために、**xlShiftToLeft**という組み込み定数を引数に利用しています。

▼ 定数で「詰める方向」を指定する

```
                                                    Chapter06¥Sample12.txt
Range("C3").Delete Shift:=xlShiftToLeft
```

ちなみに「上に詰める」場合には、組み込み定数「xlShiftUp」を使用します。

また、「xlShiftToLeft」と「xlShiftUp」は、「関連する定数をひとまとめにしたグループ」を管理するために用意された「列挙」という仕組みに従って、**XlDeleteShiftDirection列挙**にまとめて管理されています。

▼ XlDeleteShiftDirection 列挙の 2 つの定数

定数	意味
xlShiftToLeft	左に詰める
xlShiftUp	上に詰める

なんだか意味のわからない単語や英単語がいっぱい出てきたぞ。これ、どういう意味?

では、日本語で整理していきましょう。

セルの削除をする場合、削除後の動作としては、「①左に詰める」「②上に詰める」の2種類が考えられます。つまり、「選択肢1」と「選択肢2」のうちのどちらかを選べるような仕組みになっています。

しかし、それを指定する際に、「1」や「2」と番号で指定すると、コードを見返した際にどういう意味なのかわかりにくいですし、入力する際も「『1』はどっちの選択肢だったかな?」と迷ってしまいます。そこで、「こういう選択肢ですよ」とわかりやすいように名前を付けたのが、組み込み定数です。

なるほど！　日本語で言うと「左シフト」「上シフト」みたいな名前で定数名を付けているわけか。でも、英語で名前を付けているから、日本人の僕たちにとっては、かえってわかりづらくなってしまっているんだね。

　それに加えて、VBAでは、「これは組み込み定数ですよ」とわかりやすくするためなのか、「**xl○○**」もしくは「**vb○○**」と、多くの定数名の頭に「xl」や「vb」が付けられています。

「Excel」や「Visual Basic」の略なんでしょうけど、初めて見た場合は何が何やらわけがわからなくて、それだけで「もう嫌」となってしまうかもしれません。

そういうルールなのか。でも、それを知っておけば、「**xl○○**」もしくは、「**vb○○**」の箇所は組み込み定数を利用して、何らかの選択肢を指定していると判断できるね。

その通りです。怖がる必要はありません。むしろ、その場所を変更すれば動作を変更できるという目印になるわけです。

　また、組み込み定数の多くは、同じ用途に使われる一連の選択肢ごとにグループにまとめられています。これが「列挙」です。列挙の仕組みは、自分でも作成することができます。本書では詳しく扱いませんが、興味のある方は、**Enumステートメント**をWebや書籍で調べてみましょう。

さっきの例で言うと、定数「左シフト(xlShiftToLeft)」と「上シフト(xlShiftUp)」は、列挙「セルの削除方向の選択肢グループ(XlDeleteShiftDirection列挙)」にまとめられている、という仕組みになっているんだね。

そうです。組み込み定数や列挙に含まれる定数の一覧は、ヘルプやリファレンス系の書籍を調べてみると、どんなものが用意されているかがわかります。とりあえず今は、「定数」や「列挙」の仕組みを押さえておいて、必要なものを調べてみて下さいね。

 あらかじめ値が決まっている場合は、定数を宣言して利用しましょう。組み込み定数は、選択肢を指定するために利用されます。

変数を変更する

演習

次のコードは、次図のワークシートに対して、「3つの商品を12個ずつ購入した際の小計を入力する」作業を意図して作成したものです。コード内には、「12個」を意図した「12」という数値が3つ登場しますが、この「12」という数値を、変数「num」を使って記述したコードに変更して下さい。

▼ マクロを適用するワークシート

	A	B	C	D	E	F
1						
2			人数	12		
3						
4		ID	商品名	価格	小計	
5		1	あんぱん	120		
6		2	食パン	140		
7		3	アイスコーヒー	100		
8						

▼ 3つの商品を12個ずつ購入した際の小計を入力する

Chapter06¥Sample13.txt

```
Sub Macro1()
    '3つの商品それぞれについて小計を計算
    Range("E5").Value = Range("D5").Value * 12
    Range("E6").Value = Range("D6").Value * 12
    Range("E7").Value = Range("D7").Value * 12
End Sub
```

まずは最初の問題。「12」という値を変数「num」に代入して利用するコードにするわけか。すると、こうかな。

▼ 3 つの商品を「変数 num」個ずつ購入した際の小計を入力する

Chapter06¥Sample14.txt

```
Sub Macro2()
    Dim num As Long
    num = 12

    '3つの商品それぞれについて小計を計算
    Range("E5").Value = Range("D5").Value * num
```

```
    Range("E6").Value = Range("D6").Value * num
    Range("E7").Value = Range("D7").Value * num
End Sub
```

正解です。では、「セルE2の値ずつ購入した場合」の小計を入力するという
内容に変更して下さい。

ふむふむ。これは、変数に値を代入する箇所を変更するだけでいいね。コー
ド中で直接「12」と指定してある箇所を、セルE2に変更すればよいわけだか
ら、こうだね。

▼ 3 つの商品を「セルE2の値」ずつ購入した際の小計を入力する

Chapter06¥Sample15.txt

```
Sub Macro3()
    Dim num As Long
    num = Range("E2").Value

    '3つの商品それぞれについて小計を計算
    Range("E5").Value = Range("D5").Value * num
    Range("E6").Value = Range("D6").Value * num
    Range("E7").Value = Range("D7").Value * num
End Sub
```

これまた正解です。では、続いての問題です。ワークシートを扱う変数
「tmpSheet」を作成し、変数を通じて1枚目のワークシートの名前を「顧客
リスト」に変更するコードを記述して下さい。ちなみに、名前を管理してい
るプロパティは、「Nameプロパティ」です。

おっ、今度はゼロから作るのか。えーと、ワークシートを扱う変数というこ
とは、Worksheetオブジェクト型で宣言して、オブジェクトの場合は代入に
Setステートメントを使うんだな。こうかな。

▼1枚目のワークシートの名前を「顧客リスト」に変更する

Chapter06¥Sample16.txt

```
Sub Macro4()
    Dim tmpSheet As Worksheet
    Set tmpSheet = Worksheets(1)
```

```
    tmpSheet.Name = "顧客リスト"
End Sub
```

正解です。オブジェクトを代入する時はSetステートメントというポイント
をしっかり押さえていますね。VBAでは、このようにして「変数」を宣言し、
代入し、コードのなかで利用していくことができます。

演
習

サンプルファイル Chapter06¥S06_演習.xlsm

HINT オブジェクト指定の記述を楽にするWithステートメント

変数の用途の1つとして、「毎回対象や値を指定する長いコードを書く必要がなくな
る」ということを紹介しました。同じく、「コードをシンプルにする」目的に有効な仕
組みをもう1つ覚えておきましょう。それが**Withステートメント**です。Withステート
メントは次のような構文で記述します。

With ステートメント
```
With オブジェクト
    .プロパティ = 値
    .メソッド
    …オブジェクトを利用したコード
End With
```

「**With**」の後ろにオブジェクト名を記述し、「**End With**」で挟むようにします。

挟まれた箇所では、「.プロパティ」「.メソッド」と、「.」から記述を始めると、それは
最初に「With」の後ろに指定したオブジェクトのプロパティやメソッドを使用する、
という意味になります。

次の例では、「Worksheets(2).Range("B2:D10")」に対して3つの処理を行ってい
ます。

Chapter06¥Sample17.txt
```
Worksheets(2).Range("B2:D10").AutoFilter _
    Field:=3, Criteria1:="パン"
Worksheets(2).Range("B2:D10").Copy Destination:=Range("F2")
Worksheets(2).Range("B2:D10").AutoFilter
```

これを、Withステートメントを使ってまとめてみます。

```
With Worksheets(2).Range("B2:D10")
    .AutoFilter Field:=3, Criteria1:="パン"
    .Copy Destination:=Range("F2")
    .AutoFilter
End With
```

カスタマイズしたいコードに、Withステートメントを見かけたら、まずは「End With」と書いてある箇所を探しましょう。その間に挟まれている部分は、**「With」の後ろに指定したオブジェクトに対する処理**が記述されている部分なのです。

HINT モジュール内のどこからでも利用できる変数

モジュール内の先頭の「どのマクロにも属さない場所(宣言セクション)」で変数を宣言すると、その変数は**「モジュールレベルの変数」**として宣言されます。

モジュールレベルの変数は、「モジュール内のどこからでも利用できる」「VBAの実行がリセットされるまで値を保持する」という特徴を持ちます。次の図のように、モジュールレベルの変数「num」は、モジュール内のマクロから宣言なしで使用することができます。

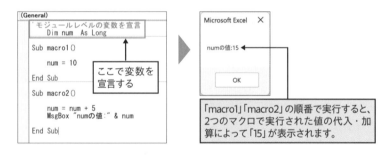

コピーしてカスタマイズしようと思っているマクロの記述されているモジュールの宣言セクションに、モジュールレベルの変数が宣言されている場合、マクロ内でその変数を使用している可能性があります。「検索」機能等で目的のマクロ内でモジュールレベルの変数が使用されているかどうかをチェックし、使用されている場合には、モジュールレベルの変数の宣言部分も一緒にコピーしましょう。

ちなみに、マクロ内で宣言する変数は「プロシージャレベルの変数」と呼びます。

07

処理の流れを変更する

07-01 条件分岐の意味と役割を理解する

条件分岐の目的

　VBAでは、プログラムの流れを変更する、「制御構造」と呼ばれる仕組みが用意されています。そのうちの1つが**条件分岐**です。

　条件分岐とは、**条件に応じた処理を選択して実行できる仕組み**です。マクロを実行した際に、「セルに入力されている値や日付に応じて、処理の流れを自動的に切り替える」といったことができます。手作業で業務を行う際には、人間の目で見て次の作業を判断しなくてはいけなかったことを、一定のルールに従って自動的に判断する仕組みが条件分岐と言えます。

▼ **条件分岐は、入力されている値に応じて行う処理を自動的に判別してくれる**

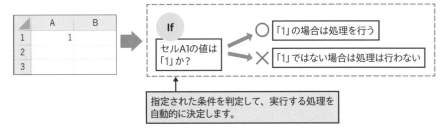

条件分岐は、単なる機能の自動化から一歩進んだマクロを作成する際に非常に有効な仕組みです。状況に応じた**次の作業の選択**ルールを、マクロに組み込めるわけですね。

なるほど。状況に応じて実行する処理をいちいち指示しなくても、自動で決めてくれるんだね。それは凄く便利そうだね。

サンプルファイル　Chapter07¥S07_制御構造.xlsm

条件を満たした場合に処理を行う

ある「条件」を満たした場合のみ任意のコードを実行するには、**If ステートメント**を使用します。If ステートメントは、「条件」を満たした場合に実行するコードを、「**Then**」～「**End If**」の間に記述します。

If ステートメント

```
If 条件式 Then
    条件式を満たしている時に実行したい処理
End If
```

この時、「条件」を満たしているかどうかを判定するための式を**条件式**と呼びます。条件式を作成するには、後述する比較演算子や論理演算子を利用します。

次のコードは、セルB3の値が「50」以上であれば「合格」と表示します。

▼ 値が「50」以上であれば「合格」と表示

Chapter07¥Sample01.txt

```
If Range("B3").Value >= 50 Then
    MsgBox "合格"
End If
```

▼「50」点以上なら、メッセージが表示される

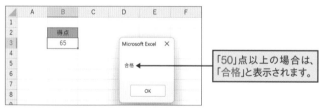

「50」点以上の場合は、「合格」と表示されます。

▼ 条件式と実行する処理を記述する

```
                         条件式
                          ↓
If  Range("B3").Value >= 50  Then
        MsgBox "合格"  ← 条件を満たした時に実行される処理
End If
```

> **!** 「もしも（If）、条件を満たすなら、処理を実行する」と覚えましょう。

セルB3の値をいろいろ変更してコードを実行してみましょう。すると、動きが変わりますよ。

値を変更して…、おっ、本当だね。ところでこれは、「50以上だった時」に、「Then」～「End If」の間に挟んだコードを実行するようだけど、「50以上ではなかった場合」には別のコードを実行させたい時はどうするの？　もう1つ別のIfステートメントを書くのかな？

条件に応じて処理を分岐する

Ifステートメントには、「条件式を満たした場合」と「満たさなかった場合」の処理をまとめて記述できる仕組みも用意されています。そのようなケースでは、**Elseキーワード**を使用します。

▼条件を満たす場合と満たさない場合で実行する処理を分けることができる

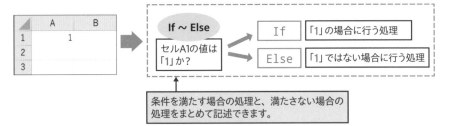

Elseキーワードを利用した If ステートメント

```
If 条件式 Then
    条件式を満たしている時に実行したい処理
Else
    条件式を満たしていない時に実行したい処理
End If
```

次のコードは、セルB3の値が「50」以上であれば「合格」、そうでなければ「不合格」と表示します。「**Then**」～「**Else**」の間に条件を満たした時に実行する処理、「**Else**」～「**End If**」の間に条件を満たさない場合に実行する処理を記述します。

▼ 値が「50」以上で「合格」、そうでなければ「不合格」と表示

Chapter07¥Sample02.txt

```
If Range("B3").Value >= 50 Then
    MsgBox "合格"
Else
    MsgBox "不合格"
End If
```

▼ 条件を満たす時と満たさない時でメッセージが変わる

「50」点以上の場合は「合格」、
「49」点以下の場合は「不合格」
と表示されます。

▼ 条件を満たす場合と満たさない場合の処理を、まとめて記述できる

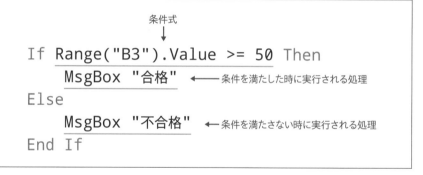

条件式

```
If Range("B3").Value >= 50 Then
    MsgBox "合格"    ←── 条件を満たした時に実行される処理
Else
    MsgBox "不合格"    ←── 条件を満たさない時に実行される処理
End If
```

❗ 「条件を満たす時は『If』の処理、満たさない時は『Else』の処理を実行する」と
覚えましょう。

どれどれ…セルB3の値を変更して…、本当だ。1つの条件式で、「If」～「Else」
間と「Else」～「End If」間の2種類の流れに分岐できるね。

よい捉え方ですね。Ifステートメントを見つけたら、まずは、何を分岐の条
件としているのかを確認し、そのうえで、条件式に応じて実行される箇所を
確認して、自分がカスタマイズしたい場所を判断するのが大切です。そのた
めには、「特定のキーワード間に挟まれている箇所ごとに切り分ける」という
感覚を持っておくのが有効となります。

複数の条件に応じて処理を分岐する

さらに条件式を増やしたい場合には、**ElseIfキーワード**を使用します。ElseIfキーワードによる条件式の追加は、複数行うことも可能です。

▼ 条件ごとに実行する処理を設定することができる

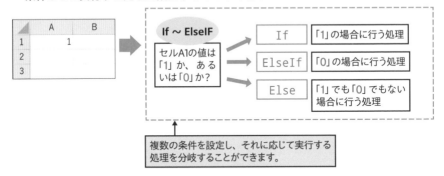

ElseIf キーワードを利用した If ステートメント

```
If  条件式1  Then
        条件式1を満たしている時に実行したい処理
ElseIf  条件式2  Then
        条件式2を満たしている時に実行したい処理
Else
        いずれの条件式も満たしていない時に実行したい処理
End If
```

「**If**」〜「**Then**」の間に最初の条件式を記述し、「**Then**」〜「**ElseIf**」の間にその条件を満たした時に実行する処理を記述します。続けて、「**ElseIf**」〜「**Then**」の間に2つ目の条件式を、「**Then**」〜「**Else**」の間に2つ目の条件を満たした場合の処理を記述します。最後に、「**Else**」〜「**End If**」の間に、いずれの条件式も満たさない場合に実行する処理を記述します。

条件式を複数記述した場合には、条件式は上から順に判定されます。条件を満たしているものが見つかった時点で対応したコードが実行され、Ifステートメントの処理を終了します。

▼ 上から順番に判断を行っていく

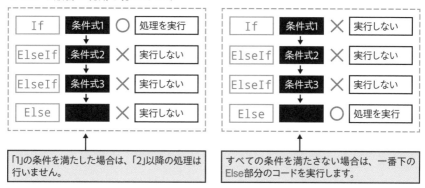

次のコードでは、セルB3の値をチェックし、「80以上の場合」「60以上の場合」「50以上の場合」「それ以外」の4パターンに応じたメッセージを表示します。なお、変数「score」を用意し、セルB3の値を代入して使用しています。

このコードのように、ElseIfを追加することで、**条件式を3つ以上に増やすこと**ができます。

▼ セルの値に応じて、表示するメッセージを変更する

```
Chapter07¥Sample03.txt
Dim score As Long
score = Range("B3").Value

If score >= 80 Then
    MsgBox "優"
ElseIf score >= 60 Then
    MsgBox "良"
ElseIf score >= 50 Then
    MsgBox "可"
Else
    MsgBox "不合格"
End If
```

▼ 複数の条件式を利用して、点数ごとに表示するメッセージを変える

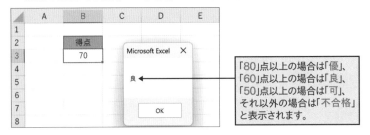

「80」点以上の場合は「優」、
「60」点以上の場合は「良」、
「50」点以上の場合は「可」、
それ以外の場合は「不合格」
と表示されます。

▼ 条件式を追加して、さらに細かい分岐を行うこともできる

条件式1 → If score >= 80 Then
　　　　　　MsgBox "優" ←───── 条件1を満たした時に実行される処理
条件式2 → ElseIf score >= 60 Then
　　　　　　MsgBox "良" ←───── 条件2を満たした時に実行される処理
条件式3 → ElseIf score >= 50 Then
　　　　　　MsgBox "可" ←───── 条件3を満たした時に実行される処理
　　　　Else
　　　　　　MsgBox "不合格" ←── いずれの条件も満たさない時に
　　　　　　　　　　　　　　　　　実行される処理
　　　　End If

 ElseIfキーワードを使用した場合は、「○○ 〜 ○○の間」と考えるのが大切です。また、複数の条件式を記述した場合、**最初に条件を満たす条件式の処理のみを実行する**点も押さえておきましょう。

上記の例だと、セルB3の値が「80」だったら、「80以上」「60以上」「50以上」というのはすべて満たす値だけど、最初に記述された「80以上」の部分のコードのみが実行される、というわけだね。

❗ 「最初の条件を満たす時は『If』、2番目の条件を満たす時は『ElseIf』、どの条件も満たさない場合は『Else』の処理を実行する」と覚えましょう。

条件式の読み方・作り方

Ifステートメントのなかでは、処理を分岐するかどうかを**条件式**で判定しています。条件式とは、○×クイズのように、「○か×か」という2択問題の問いかけを行う式です。

答えが○の場合は**True**という値を返し、×の場合は**False**という値を返します。また、この「True」「False」という値は、日本語で言うとそれぞれ「真」「偽」となり、2つを合わせて**真偽値**（しんぎち）と言います。条件を満たす場合は「真の場合は」、条件を満たさない場合は「偽の場合は」というような言い方をします。

条件式を作成する場合には、**比較演算子**を使用して、次のように記述します。

条件式

式1　比較演算子　式2

例えば、「セルA1の値は『10』より大きいかどうか」という条件式は、次のように記述します。

▼ **条件式は比較演算子を使って記述する**

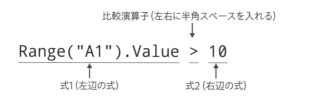

```
               比較演算子（左右に半角スペースを入れる）
                      ↓
   Range("A1").Value  >  10
   ‾‾‾‾‾‾‾‾‾‾‾‾‾‾‾‾‾     ‾‾
         ↑               ↑
    式1（左辺の式）     式2（右辺の式）
```

この条件式は、セルA1の値が10より大きい場合には「True」を返し、10以下の場合には「False」を返します。

「○か×か」じゃなくて、「TrueかFalseか」という問いを式で作るんだね。

はい。ちなみに、条件式で真偽値の答えを出すことを、**判定**と言います。既に何回か使っていますね。条件式のことを**判定式**と呼ぶこともあります。では、条件式を作成する際に使う比較演算子をざっと紹介します。全部を覚える必要はありません。わからないものが出てきたら、ここに戻って確認して下さい。

条件式で使用する比較演算子には、次のものが用意されています。まずは**値の比較**に使用する比較演算子です。

「式1と式2の値のどちらが大きいのか、小さいのか」といったことを比べる際に使用します。

▼ 値の比較に使用する比較演算子と使用例

比較の種類	演算子	使用例	結果
より小さい	<	5 < 2	False
以下	<=	5 <= 2	False
より大きい	>	5 > 2	True
以上	>=	5 >= 2	True
等しい	=	5 = 2	False
等しくない	<>	5 <> 2	True

算数や数学でおなじみの「=」「<」「>」の3つの記号を組み合わせて条件式を作成します。注意しておきたいのは「=」の使い方です。「=」は、代入操作（99ページ）にも利用される演算子ですが、Ifステートメント等の条件式として使用される場合には、「左側の式と、右側の式が、『等しい』かどうか」を判定するための演算子となります。

オブジェクトが同一のものかどうかを比較するには、**Is演算子**を使用します。「式1と式2が同じオブジェクトの場合は処理を実行する」というように使います。

▼ オブジェクトの比較に使用する演算子と使用例

比較の種類	演算子	使用例	結果
等しい	Is	Worksheets(1) Is Worksheets("Sheet1")	True

Is演算子は、オブジェクト同士の比較によく使われますが、その他にもNothingキーワードと組み合わせて、「メソッドの結果や変数に、オブジェクトが格納されているかどうか」という判定を行う際に、よく利用されます。「○○ Is Nothing」というコードを見かけたら、「あ、オブジェクトがあるのかどうかをチェックしているんだな」と見当をつけましょう。

文字列の比較を行うには、次の演算子を使用します。これも「式1と式2の文字列が同じ場合は処理を実行する」というように使います。

▼ 文字列の比較に使用する比較演算子と使用例

比較の種類	演算子	使用例	結果
等しい	=	"Excel" = "VBA"	False
等しくない	<>	"Excel" <> "VBA"	True
あいまい検索	Like	"Excel" Like "Ex*"	True

このうち**Like演算子**は、**ワイルドカード**を組み合わせて、あいまいな条件で比較を行えます。使用できるワイルドカードには、以下のものが用意されています。

ワイルドカードは、条件式のなかで、「その部分の文字列が、記号ごとのルールを満たすものであれば何でもいい」という意味になります。

▼ Like演算子で使用できるワイルドカードと使用例

意味	ワイルドカード	使用例	結果
任意の文字列	*	"Excel" Like "Ex*"	True
任意の1文字	?	"Excel" Like "?xcel"	True
任意の1数値	#	"Excel2021" Like "Excel##"	False
[]内の1文字	[abc]	"d" Like "[abc]"	False
[]内の文字以外	[!abc]	"d" Like "[!abc]"	True
範囲指定	[a-z]	"d" Like "[a-z]"	True

※ [ ] 内の文字は、判定対象に合わせて任意のものを入力します。

HINT 複数の条件式を組み合わせる論理演算子

「条件式Aと条件式Bを**共に満たす**場合に処理を分岐したい」「条件式Aもしくは条件式Bの**いずれかを満たす**場合に処理を分岐したい」というような複数の条件式を組み合わせて使用したい場合には、**論理演算子**を使用します。

意味	演算子	例	結果
条件式Aと条件式Bが、共に真 (論理積)	And	5 < 2 And 5 > 2	False
条件式Aと条件式Bの、いずれかが真 (論理和)	Or	5 < 2 Or 5 > 2	True
条件式Aの真偽値の反対 (論理否定)	Not	Not 5 < 2	True

And演算子とOr演算子は、「**条件式A 論理演算子 条件式B**」という形式で記述します。Not演算子は、「**Not 条件式**」という形式で記述し、後ろに続く条件式の値を反転させます。

次のコードは、And演算子を使って、「アクティブセルの値が『Excel』、かつ、行番号が『5』より小さい場合」という条件式を作成しています。

▼ And演算子を使った条件式

```
                                               Chapter07¥Sample04.txt
If ActiveCell.Value = "Excel" And ActiveCell.Row < 5 Then
    MsgBox "2つの条件式を共に満たします"
End If
```

And演算子やOr演算子を見かけたら、その場所で条件式を切り分け、個々の条件式ごとに内容をチェックしてカスタマイズするようにしましょう。

値に応じて処理を分岐する

○か×か形式の分岐ではなく、ある値(**判定値**)に注目し、その値によって処理を複数に分岐したい場合には、**Select Caseステートメント**が利用されます。

Select Caseステートメントは、「判定値の範囲」をケースごとに分けて指定し、実行する処理を記述します。

「**Select Case**」に続けて判定値を記述し、「**Case**」の後に範囲を記述します。Caseは複数追加することができます。「**Case Else**」には、いずれのケースの範囲にも該当しなかった場合の処理を記述します(Case Elseは省略可能です)。

▼ 値に応じて実行する処理を分岐することができる

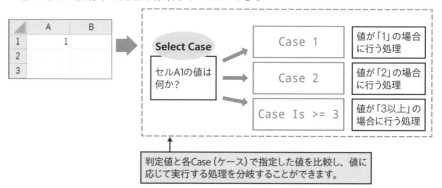

Select Caseステートメント

```
Select Case 判定値
    Case 範囲1
        判定値が範囲1の時の処理
    Case 範囲2
        判定値が範囲2の時の処理
    Case Else
        判定値がすべての範囲に該当しない時の処理
End Select
```

判定値のケースごとの「範囲」は、以下のような記述方法で設定します。

▼ **範囲を指定する方法**

範囲	記述例	説明
任意の値	Case **1**	判定値が**1**
複数の値のいずれか	Case **1,3,5**	判定値が**1**、**3**、**5**のいずれか
比較演算子を利用した範囲	Case **Is < 5**	判定値が**5**より小さい
Toを利用した範囲	Case **2 To 5**	判定値が**2 ～ 5**の間
既存のケース以外	Case **Else**	すべてのケースの範囲外

次の例では、セルB3に入力されている値を判定値とし、値によって処理を分岐しています。

▼ **Select Caseステートメントで処理を分岐する**

```
                                          Chapter07¥Sample05.txt
Select Case Range("B3").Value
    Case Is <= 3
        MsgBox "3以下です"
    Case 4
        MsgBox "4です"
    Case 5, 6
        MsgBox "5もしくは6です"
    Case 7 To 10
        MsgBox "7 ～ 10のどれかです"
    Case Else
        MsgBox "それ以外の値です"
End Select
```

▼ ケースごとに範囲を指定し、判定値と比較する

判定値
↓

```
Select Case Range("B3").Value
    Case Is <= 3 ←──────────── 範囲
        MsgBox "3以下です" ← 判定値が範囲に合致す
                              る場合に実行する処理
    Case 4
        MsgBox "4です"
    Case 5, 6
        MsgBox "5もしくは6です"
    Case 7 To 10
        MsgBox "7〜10のどれかです"
    Case Else
        MsgBox "それ以外の値です" ← すべての範囲に該当しない
                                    場合に実行する処理
End Select
```

へえ。今度は1つの値に注目して、いろんなケースごとに分岐するのか。

はい。Ifステートメントに比べると、**分岐したい処理の数が多い場合**によく使われます。分岐の数が多いとは言え、カスタマイズのポイントは似ています。「何を判定値にしているのかに注目し、そのうえで範囲と処理を切り分けて、どの部分を変更すればよいかをきちんと把握する」ということですね。

❗ Select Caseステートメントは、「値に応じて処理を複数分岐したい時」に使用します。

HINT ボタンを配置してマクロを登録する

　開発タブ−**挿入**を押して表示される「**フォームコントロール**」左上の「**ボタン**」を選択し、配置したい位置でドラッグすると、ワークシート上にボタンが配置されます。その後に「マクロの登録」ダイアログボックスが表示されるので、登録したいマクロを選択すると、以降、この**ボタンを押すと選択したマクロが実行される**ようになります。

　登録するマクロの変更やボタンの見た目・キャプションなどの編集は、配置したボタンを**右クリック**して表示される各種オプションメニューから行えます。

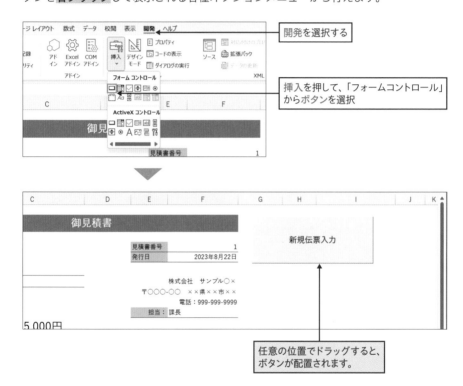

開発を選択する

挿入を押して、「フォームコントロール」からボタンを選択

任意の位置でドラッグすると、ボタンが配置されます。

　手軽にマクロが実行できるようになると、さらに便利になりますね。また、リボンをカスタマイズしてマクロを登録することも可能です。興味のある方は、調べてみて下さい。

07-02 繰り返し(ループ)処理の意味と役割を理解する

繰り返し処理の目的

条件分岐と合わせて、処理の流れを変更する仕組みの代表格が**繰り返し(ループ)処理**です。

繰り返し処理は、名前の通り**一連の処理を繰り返す仕組み**です。例えば、50枚のワークシートのセルA1に、1 ～ 50の値を入力する作業があるとします。

これを手作業で行うとなると、「ワークシートの表示→値の入力」という作業が50回分必要になります。繰り返し処理を使用しないのであれば、「Worksheets(1).Range("A1").Value = 1」のようなコードを50行は書く羽目になるでしょう。とにかく、面倒ですね。このような「面倒な繰り返し作業を、簡単なコードで記述する」ための仕組みが、繰り返し処理です。

> 繰り返し処理は、繰り返し作業の指示を簡単に記述できるので、**手作業で行っている規則性のある仕事を自動化する際のカギとなる仕組み**です。Excelとにらめっこしている時間が長い方には、ぜひ、覚えてほしい仕組みです。

繰り返し処理には、「なぜ繰り返し処理を行いたいのか」という用途に応じて、いくつかのステートメントが用意されています。本書ではそのうち、次の3つを紹介します。

▼ 処理の目的と対応するステートメント

ステートメント	適した目的
For Next ステートメント	「○○回処理をしたい」「10行目から20行目までを処理したい」といった**指定数**だけ繰り返したい場合
For Each Next ステートメント	「○○全部に対して処理をしたい」「特定のセル範囲全体に対して処理したい」といった、**特定のグループ全体**に処理を繰り返したい場合
Do Loop ステートメント	「○○するまで処理を行いたい」といった、**条件を満たすまで**繰り返したい場合

指定した回数だけ処理を繰り返す

指定回数だけ処理を繰り返すには、**For Nextステートメント**を利用します。For Nextステートメントでは、**カウンタ用変数**を利用し、カウンタ用変数が初期値から終了値まで変化する回数だけ処理を繰り返します。

02

繰り返し処理の書き方

For Nextステートメント

```
For  カウンタ用変数 = 初期値 To 終了値
    (カウンタ用変数を利用した)繰り返し処理
Next
```

次のコードでは、5回処理を繰り返します。結果、セルA1からセルA5にそれぞれの回数を表す文字列が入力されます。

▼ **セルへの入力を 5 回繰り返す**

```
                                              Chapter07¥Sample06.txt
Dim i As Long
For i = 1 To 5
    Cells(i, 1).Value = i & "回目の処理"
Next
```

▼ **For Nextステートメントを使って、セルへの入力を 5 回繰り返す**

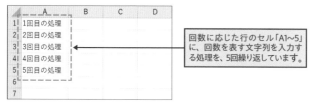

回数に応じた行のセル「A1～5」に、回数を表す文字列を入力する処理を、5回繰り返しています。

For Nextステートメントを利用した繰り返し処理内では、多くの場合、カウンタ用変数の値を使った処理が記述されます。上述のコードでは、**Cells(行番号, 列番号)** の形式で、処理の対象とするセルを指定できる**Cellsプロパティ**の1つ目の引数にカウンタ用変数「i」を指定することで、書き込みを行う行数を切り替えながら処理を実行しています。このように、コード内で処理対象のセルを変更していく場合には、Cellsプロパティがよく利用されています。

また、カウンタ用変数は「2 To 5」のように、「1」以外の初期値を指定することも可能です。この場合は「2 ～ 5」の間(4回)繰り返されます。

▼ 繰り返す回数を指定して、処理を実行することができる

カウンタ用変数 ＝ 初期値 To 終了値

```
For  i = 1 To 5
     Cells(i, 1).Value = i & "回目の処理"
Next
```
└ 繰り返し実行する処理

▼ カウンタ用変数を利用して処理を行うことができる

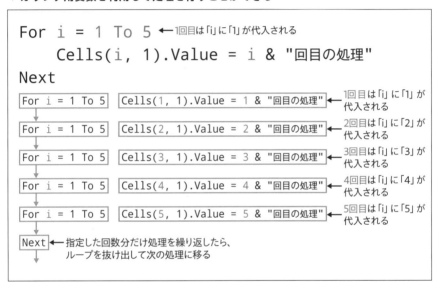

```
For  i = 1 To 5  ← 1回目は「i」に「1」が代入される
     Cells(i, 1).Value = i & "回目の処理"
Next
```

For i = 1 To 5	Cells(1, 1).Value = 1 & "回目の処理"	1回目は「i」に「1」が代入される
For i = 1 To 5	Cells(2, 1).Value = 2 & "回目の処理"	2回目は「i」に「2」が代入される
For i = 1 To 5	Cells(3, 1).Value = 3 & "回目の処理"	3回目は「i」に「3」が代入される
For i = 1 To 5	Cells(4, 1).Value = 4 & "回目の処理"	4回目は「i」に「4」が代入される
For i = 1 To 5	Cells(5, 1).Value = 5 & "回目の処理"	5回目は「i」に「5」が代入される

Next ← 指定した回数分だけ処理を繰り返したら、ループを抜け出して次の処理に移る

なるほど。カウンタ用変数を使って、挟まれた箇所に記述した処理を実行する回数を指定するわけか。じゃあ、「1 To 100」とすれば、回数を100回に増やすこともできるんだね。

その通りです。その際には、カウンタ用変数は処理を1回実行すると「1」加算されて次回の処理を行います。この値をうまく利用すると、単に同じ処理を指定回数繰り返すだけでなく、処理回数ごとに異なるオブジェクトに対して同じ命令を行うこともできるようになります。ちなみに、カウンタ用変数は慣例的に「i」「j」という1文字の変数が使用されることが多いです。

❗ For Nextステートメントは、指定された回数だけ処理を実行する際に使用します。

全部に対して処理を繰り返す

ある**特定のグループ内のメンバーすべてに対して**処理を繰り返すには、**For Each Nextステートメント**を利用します。

For Each Nextステートメントでは、**処理対象用変数**を利用し、グループ内のメンバーすべてに対して処理を実行します。また、処理の対象となるグループは、コレクション(60ページ)や配列(150ページ)を使って指定します。

For Each Nextステートメント

```
For Each 処理対象用変数 In 処理対象グループ
    (処理対象用変数を利用した)繰り返し処理
Next
```

次のコードでは、「すべてのワークシートのセルA1に『確認済』と入力」するために、Worksheetsコレクションを対象として繰り返し処理を行います。

処理対象グループにコレクションを指定した場合は、**メンバーのオブジェクトの数だけ**処理が繰り返されます。

配列を利用したループ処理については、154ページで例を紹介します。

▼ **すべてのワークシートのセル A1 に「確認済」と入力**

Chapter07¥Sample07.txt

```
Dim sht As Worksheet
For Each sht In Worksheets
    sht.Range("A1").Value = "確認済"
Next
```

▼ **指定したグループ内のメンバーすべてに対して処理を行う**

	A	B	C
1	確認済		
2			

開いているすべてのワークシートのセル「A1」に、「確認済」と入力します。複数のワークシートを追加した状態で確認してみて下さい。

▼ **処理対象を指定して、実行する処理を記述する**

処理対象用変数 In 処理対象グループ

```
For Each sht In Worksheets
    sht.Range("A1").Value = "確認済"     ← 繰り返し実行する処理
Next
```

145

▼ 処理対象用変数には、処理対象グループのメンバーが代入される

Worksheetsコレクションには「Sheet1」〜「Sheet4」がメンバーとして存在している

```
For Each sht In Worksheets
    sht.Range("A1").Value = "確認済"
Next
```

← Worksheetsコレクションのメンバーの数だけ処理を繰り返す

```
For Each Sheet1 In Worksheets
Sheet1.Range("A1").Value = "確認済"
```
← 1回目は「sht」に「Sheet1」が代入される

```
For Each Sheet2 In Worksheets
Sheet2.Range("A1").Value = "確認済"
```
← 2回目は「sht」に「Sheet2」が代入される

```
For Each Sheet3 In Worksheets
Sheet3.Range("A1").Value = "確認済"
```
← 3回目は「sht」に「Sheet3」が代入される

```
For Each Sheet4 In Worksheets
Sheet4.Range("A1").Value = "確認済"
```
← 4回目は「sht」に「Sheet4」が代入される

```
Next
```
← すべてのメンバーに対して処理を繰り返したらループを抜け出して次の処理に移る

グループを指定する際に、コレクション等の「メンバーがオブジェクトであるグループ」を指定した場合には、処理対象用変数にオブジェクトが「代入」されたような形になり、処理対象用変数を通じて、メンバー個々のオブジェクトのプロパティやメソッドを使用できます。

へえ。便利だね。こういうグループ全体に対して指示を行う仕組みなら、グループのメンバーが増減しても、コードを変更する必要がなさそうでいいね。Worksheetsコレクションに対してループ処理を行うコードを書いておけば、シートを追加・削除しても、「すべてのシートに対して」処理が行われるというわけだね。

❗ For Each Nextステートメントは、指定したグループのメンバーすべてに対して処理を行います。

条件を満たしている間だけ処理を繰り返す

ある条件を満たしている間は処理を繰り返すには、**Do Loopステートメント**を利用します。Do Loopステートメントの基本構文は次のようになります。

> **Do Loopステートメント**
>
> ```
> Do
>       繰り返し処理
> Loop
> ```

この構文に加え、「どのようになったらループ処理を終了するのか」という終了条件を、「**Do**」の後ろもしくは「**Loop**」の後ろに**While**もしくは**Until**キーワードと共に条件式を使って記述します。

▼ **終了条件の指定方法**

キーワード	判定方法	例	意味
While	条件を満たす間継続	**While** v<5	「v」が「5」より小さい間は継続
Until	条件を満たすまで継続	**Until** v<5	「v」が「5」より小さくなるまで継続

次のコードでは、Whileキーワードを使って、「アクティブセルに値が入っている間は」処理を繰り返します。

「**<>**」は「等しくない」を意味する比較演算子(135ページ)、「**""**」は値が入力されていない状態を意味します。これを組み合わせることで、「値が入力されていない状態と等しくない」つまり「値が入力されている」という条件を作ることができます。

Offsetは、引数に指定した「行と列」の分だけ離れた位置のセルを取得するプロパティです。最初のOffsetでアクティブセルの1つ右の列に「○」を入力し、2つ目のOffsetでアクティブセルの1つ下のセルを選択しています(選択することで、アクティブセルが変更されます)。

▼ **アクティブセルに値が入っている間は処理を繰り返す**

```
                                             Chapter07¥Sample08.txt
Do While ActiveCell.Value <> ""
    ActiveCell.Offset(0, 1).Value = "○"
    ActiveCell.Offset(1, 0).Select
Loop
```

▼ 対象のセルを移動しながら処理を繰り返す

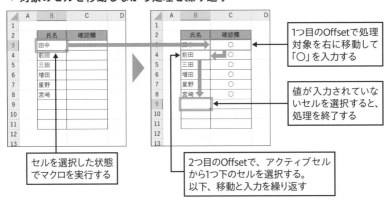

1つ目のOffsetで処理対象を右に移動して「○」を入力する

値が入力されていないセルを選択すると、処理を終了する

セルを選択した状態でマクロを実行する

2つ目のOffsetで、アクティブセルから1つ下のセルを選択する。以下、移動と入力を繰り返す

▼ 終了条件と繰り返し実行する処理を記述する

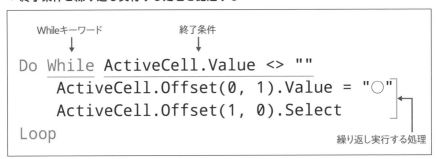

```
Do While ActiveCell.Value <> ""
    ActiveCell.Offset(0, 1).Value = "○"
    ActiveCell.Offset(1, 0).Select
Loop
```

Whileキーワード　　終了条件　　繰り返し実行する処理

Do Loopステートメントの終了条件に使用する判定式の結果は、ループ処理のなかで結果が変わるものを指定します。そうでないと、ずっとループ処理の終わらない、**無限ループ**という状態になってしまいます。

それは大変だね。じゃあ、Do Loopステートメントをカスタマイズする時は、まずは何がループの終了条件になるのかの部分を見極めたうえで、ループ処理内の終了条件が変化する部分とセットで変更する必要があるんだね。

そうですね。カスタマイズする時は、他のループ処理よりも、ちょっと慎重に変更作業を行うように意識しましょう。

❗ Do Loopステートメントは終了条件を満たすまで**繰り返します**。「While」は「○○の間」、「Until」は「○○までの間」と覚えましょう。

HINT キーワードの位置による動作の違い

「While」「Until」キーワードは、「Do」の後ろに記述する場合と、「Loop」の後ろに記述する場合で動作が異なります。

VBAでは上に書いてあるコードから順番に処理を行います。「Do」の後ろに記述する場合は、最初に判定を行い、その結果に基づいて処理を行うかどうかを決めます。「Loop」の後ろに記述した場合は、一度処理を行ってから判定を行います。

「Do」の後ろに記述した場合は、判定結果によっては一度も処理が実行されないこともあります。「Loop」の後ろに記述した場合は、必ず一度は処理が実行されます。この違いを覚えておきましょう。

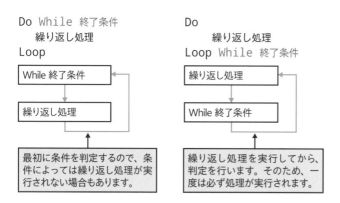

HINT 一気にコメント化できる「コメントブロック」ボタン

VBEのメニューから、**表示**−**ツールバー**−**編集**を選択すると、マクロを編集する際に便利な機能がまとめられた、「編集」ツールバーが表示されます。そのなかでも覚えておくと便利なのが、「**コメントブロック**」ボタンです。

「コメントブロック」ボタンは、選択範囲のコードをまとめてコメント化します。コメントの作成に使用できる他、一時的にコードの一部の処理を飛ばして実行したい場合には、その範囲を一気にコメント化してしまうこともできます。これを**コメントアウト**と言います。エラーの発生箇所の絞り込みにも活用できますね。

また、コメント化した部分を元に戻すには、戻したい範囲を選択して、隣の「非コメントブロック」ボタンを押します。

07-
03 配列の使い方を覚える

配列の仕組みと宣言方法

　繰り返し処理と非常に相性のよい仕組みに**配列**（はいれつ）があります。配列は繰り返し処理と組み合わせて使用されることも多くあるので、セットで使い方のパターンを押さえておきましょう。

　配列は変数によく似た仕組みです。変数は、「何かしらの値やオブジェクトを1つだけ保持できる箱」に名前を付けて扱うような仕組みですが、配列の場合は**複数のものをまとめて**扱えます。変数が何か1つだけが入る箱だとしたら、配列は、ギフトセットの箱のように、決まった数だけものを並べられる大きな箱といった具合です。

▼ **配列によって、複数の値を1つの入れ物で管理できる**

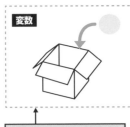

変数は、1つの入れ物に、1つの値やオブジェクトを格納する仕組みです。

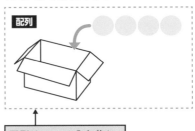

配列は、1つの入れ物に、複数の値やオブジェクトを格納する仕組みです。

　VBAで配列を扱う方法は2種類用意されています。1つは、**Dimステートメント**で変数を宣言（104ページ）するのと同様に**配列名**を記述し、**配列名の後ろに**「**()（カッコ）**」を付け、扱う値やオブジェクトの数を宣言する方法です。

　変数と同様に、データ型を指定することもできます。指定できるデータ型や、データ型を省略した場合の扱いは、変数と同様です（106ページ）。

Dimステートメントを使った配列の宣言

```
Dim 配列名(要素数) As データ型
```

▼ 配列を宣言する方法

宣言方法	要素数とインデックス番号
Dim 配列名(2)	上限値のみ指定。要素数「3」、インデックス番号「0 〜 2」の静的配列
Dim 配列名(1 To 3)	下限値と上限値を指定。要素数「3」、インデックス番号「1 〜 3」の静的配列
Dim 配列名()	要素数ゼロの動的配列。**ReDimステートメント**で再定義しないかぎり使用できない (156ページ)

　この時、配列内で扱う個々の値やオブジェクトのことを、配列の**要素**と呼び、「どの要素なのかを指定する番号」を、配列の**インデックス番号**と呼びます。

　配列を扱う際には、「**配列名（インデックス番号）**」の形式で、配列内の位置を指定し、変数と同じように値やオブジェクトを代入したり、参照したりします。

▼ 配列の要素数は、下限値と上限値で指定する

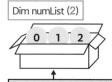

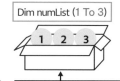

上限値のみを指定した場合は、指定した値に「＋1」した数の要素を持った配列が宣言されます。この時、インデックス番号は必ず「0」から始まります。

下限値と上限値を指定した場合は、下限値〜上限値までの数の要素を持った配列が宣言されます。インデックス番号の最初は下限値になります。

▼ 配列の「要素」は「インデックス番号」で指定する

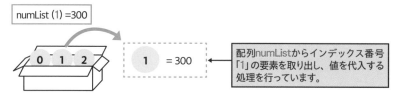

配列numListからインデックス番号「1」の要素を取り出し、値を代入する処理を行っています。

　静的配列は、宣言した時から要素数が変化しない配列です。処理内容に応じて要素数が変化するものを**動的配列**と呼びます。

　次のコードは、要素数「3」の配列「numList」と、インデックス番号「1」から始まる要素数「2」の配列「rangeList」を宣言して、それぞれの要素に値やオブジェクトを代入しています。

　なお、コード内の「**Debug.Print**」はVBEのイミディエイトウィンドウに変数や配列の中身を表示するための命令です。イミディエイトウィンドウは、VBEの**表示**－**イミディエイト ウィンドウ**メニューから表示・非表示を切り替えることができます。

　同じく、コード内の「Setステートメント」は、変数と同様に、任意の要素にオブ

ジェクトを代入します（110ページ）。「Addressプロパティ」はセル番地を取得しています。

（110ページ）

サンプルファイル Chapter07¥S07_配列の利用.xlsm

▼ 配列の要素に代入して表示する

```
Chapter07¥Sample09.txt
'配列を宣言
Dim numList(2) As Long, rangeList(1 To 2) As Range

'配列に値を代入
numList(0) = 100
numList(1) = 300
numList(2) = 500

'配列にオブジェクトを代入
Set rangeList(1) = Range("A1:C10")
Set rangeList(2) = Range("E1:G5")

'配列の値を参照
Debug.Print "配列の値:", numList(0), numList(1), numList(2)
Debug.Print "配列のセル番地:", _
    rangeList(1).Address, rangeList(2).Address
```

▼ 配列の要素を指定して、値やオブジェクトを代入して表示します

イミディエイトウィンドウに配列の各要素に代入されたものを表示しています。

配列を利用する際には通常、「この箱にはいくつ入れるのか」という要素数を宣言しますが、一番先頭の要素のインデックス番号は「0」になります。そのため、「Dim 配列名(2)」とした場合には、扱える要素は「0、1、2」の3つになる点に注意して下さい。

　配列を作成するもう1つの方法は、**Array関数**を使った手軽な方法です。Array関数は、カッコのなかにカンマで区切って列記した値やオブジェクトを要素とする配列を返します。

Array関数

```
変数 = Array(要素1, 要素2,…)
```

　Array関数を使って作成された配列を扱う際には、Variant型(107ページ)の変数に代入し、あとは通常の配列同様にインデックス番号を使って値やオブジェクトにアクセスします。なお、Array関数を使用する場合、インデックス番号は常に「0」から始まります。

▼ **Array関数を使った配列の作成**

Chapter07¥Sample10.txt

```
Dim arr As Variant
arr = Array("りんご", "バナナ", "みかん")
Debug.Print arr(0), arr(1), arr(2)
```

▼ **Array関数で用意した配列の要素の値を表示している**

イミディエイト		
りんご	バナナ	みかん

Array関数の引数に指定した値が、配列の各要素に代入されていることがわかります。

▼ **Array関数を使えば、手軽に配列を用意することができる**

配列用の変数の宣言(Variant型で宣言する)

```
Dim arr As Variant
arr = Array("りんご", "バナナ", "みかん")
```

Array関数　　配列の要素に代入する値・オブジェクト

　Array関数でオブジェクトの配列を作成する場合は、次のコードのように記述します。Array関数作成時に、要素としてオブジェクトを代入する際には、Setステートメントは必要ありません。

▼ **Array関数を使った配列の作成(オブジェクト)**

Chapter07¥Sample11.txt

```
Dim arr As Variant
arr = Array(Range("A1:C10"), Range("A2:C20"))
Debug.Print arr(0).Address, arr(1).Address
```

こっちの方が手軽だね。これだけでいいんじゃないの。

そうですね。ただ、Array関数を利用して作成した配列は、データ型を指定できません。そのため、コードヒントの利用やエラーチェックが甘くなってしまうんですよね。その辺りを考えて、使い分けてみて下さい。

配列と繰り返し処理を組み合わせる

作成した配列は、繰り返し処理と非常に相性よく活用できます。次のコードは、For Nextステートメントと配列を組み合わせ、セルに配列の要素に代入された文字列を入力しています。

▼ 配列と繰り返し処理を組み合わせる

```
'配列の宣言と値の代入                              Chapter07¥Sample12.txt
Dim nameList(2) As String
nameList(0) = "篠原"
nameList(1) = "吉野"
nameList(2) = "黒川"

'繰り返し処理で値を入力
Dim i As Long
For i = 0 To 2
    Cells(i + 1, 1).Value = nameList(i)
Next
```

▼ 配列と繰り返し処理を組み合わせて、セルに値を入力する

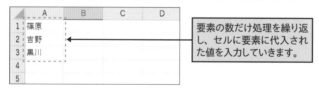

要素の数だけ処理を繰り返し、セルに要素に代入された値を入力していきます。

繰り返し処理内で「Cells(i + 1, 1)」としているのは、カウンタ用変数(143ページ)の初期値を「0」にしているためです(Cellsの引数は「1行目,1列目」つまり、「1,1」から始まります)。カウンタ用変数の初期値を「0」にすることで、配列のインデック

ス番号の初期値と揃えています。

　次のコードは、Array関数で作成した文字列の配列を元に、特定のワークシートのセルF9の値を集計しています。実行の際には、サンプルファイル「Chapter07¥S07_配列の利用.xlsm」のワークシートを利用して下さい。

▼ 配列に設定した名前のワークシートの値を集計する

```
                                          Chapter07¥Sample13.txt
Dim total As Long, tmpStr As Variant
For Each tmpStr In Array("増田伝票", "星野伝票", "前田伝票")
    total = total + Worksheets(tmpStr).Range("F9").Value
Next
MsgBox "合計金額:" & Format(total, "#,###")
```

▼ Array関数とループ処理を組み合わせて利用

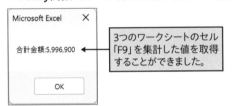

3つのワークシートのセル「F9」を集計した値を取得することができました。

　配列用の変数tmpStrに、Array関数で文字列を代入して配列にしています。「total = total + Worksheets(tmpStr).Range("F9").Value」とすることで、変数totalに、**total自身の値に各ワークシートのセルF9の値を加算したもの**を代入しています。「Format」は書式を変更するVBA関数（162ページ）です。1つ目の引数に指定した値に、2つ目の引数に指定した書式を適用した文字列を返します（ここでは、三桁ごとにカンマを入れるようにしています）。

このように、配列と繰り返し処理は「配列で処理したい対象をまとめておいて、繰り返し処理をする」という組み合わせでよく利用されます。カスタマイズする場合は、配列に含まれる要素を設定している部分を変更すれば、繰り返しの対象が変更できるというわけですね。

❗ 配列は宣言時にカッコを付けます。配列の要素にアクセスするにはインデックス番号を利用しましょう。

　VBAでは、マクロ実行時に処理内容に応じて要素を追加する、**動的配列**という仕組みも用意されています。ただ、その利用には少々手間がかかります。

①要素数を指定せずに配列を宣言
②**ReDimステートメント**を使って、配列の要素数を再定義
③拡大したインデックス番号を使って要素を追加

　また、ReDimステートメントを使用する際には、**Preserve修飾子**を組み合わせて記述すると、配列の元の要素を保持したまま拡張できます。
　次のコードは、動的配列の作成例です。

```
                                                    Chapter07¥Sample14.txt
'要素数を指定せずに動的配列を宣言
Dim arr() As Long

'要素数を「2」に拡大
ReDim arr(1)
arr(0) = 100
arr(1) = 200

'要素数を現在の最大値プラス1に拡大
ReDim Preserve arr(UBound(arr) + 1)
arr(UBound(arr)) = 300

Debug.Print "配列の値:", arr(0), arr(1), arr(2)
```

　「UBound」は、配列のインデックス数の最大値を返すVBA関数です。「ReDim Preserve arr(UBound(arr) + 1)」とすることで、現在配列に代入されている要素の値はそのままに、新たにもう1つ要素を追加する場所を加えることができます。

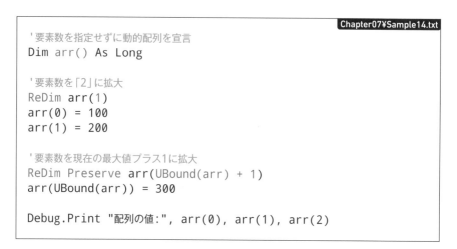

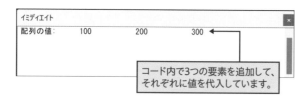

コード内で3つの要素を追加して、それぞれに値を代入しています。

　カスタマイズを行うコード内に、「ReDim」という箇所を見つけたら、「ここは配列の要素数を拡大しているんだな」と判断しましょう。

条件分岐と繰り返し処理を変更する

次のマクロは、「セル範囲B2:D6内で、『Excel』という値のセルの背景色を『赤』に設定する」ものです。これを、**セルの文字数が3文字の場合に背景色を『赤』に設定する**ように変更して下さい。ちなみに、セルの文字数を調べるには、「Len(対象セル.Value)」というようにLen関数を使用します。

▼「Excel」という値のセルの背景を「赤」にする

```
                                          Chapter07¥Sample15.txt
Sub Macro1()
    Dim rng As Range
    For Each rng In Range("B2:D6")
        If rng.Value = "Excel" Then
            rng.Interior.Color = rgbRed
        End If
    Next
End Sub
```

▼ 条件式によってセルの背景色を変更する

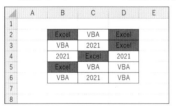

For Each NextステートメントとIfステートメントが組み合わさっているね。えーと、整理すると、「For Each Nextステートメントで、指定したセル範囲に対して繰り返し処理を行っている」と。そして繰り返しているのは、Ifステートメントによる値のチェックだね。今回は、繰り返す範囲は変更なしで、値のチェック方法を変更したいわけだから、Ifステートメントの条件式部分を変更すればよいわけか。えーっと、Len関数とやらで対象セルを指定して文字数をチェック…、この場合の対象セルはFor Each Nextステートメントで使ってる処理対象用の変数「rng」だね。ということは、ここだけこうかな?

▼ セルの文字数が「3」の場合、背景の色を「赤」にする

```
Sub Macro2()
    Dim rng As Range
    For Each rng In Range("B2:D6")
        If Len(rng.Value) = 3 Then
            rng.Interior.Color = rgbRed
        End If
    Next
End Sub
```

正解です。いろいろと組み合わさっているコードでしたが、きちんとポイントごとに整理して、修正の箇所を見つけられましたね。

次の問題です。次のコードは、セルA1 ～ A3に、配列を利用して「あんぱん」「食パン」「肉まん」という文字列を入力しています。この配列に「**ツナサンド**」「**焼きそばパン**」の2つを加え、セル**A1 ～ A5**に5つの名前を書き込むコードに変更して下さい。

▼ 3つの要素を持つ配列を利用して値を入力する

```
Sub Macro3()
    Dim arr(2) As String, i As Long
    arr(0) = "あんぱん"
    arr(1) = "食パン"
    arr(2) = "肉まん"

    For i = 0 To 2
        Cells(i + 1, 1).Value = arr(i)
    Next
End Sub
```

配列に格納した要素をループ処理で書き出しているんだね。カスタマイズして要素数を増やしたい場合には、宣言箇所と、要素をセットする箇所を増やせばいいんだから、こうかな？

▼ 配列の要素を追加して利用する①

```
                                          Chapter07¥Sample18.txt
Sub Macro4()
    Dim arr(4) As String, i As Long
    arr(0) = "あんぱん"
    arr(1) = "食パン"
    arr(2) = "肉まん"
    arr(3) = "ツナサンド"
    arr(4) = "焼きそばパン"

    For i = 0 To 2
        Cells(i + 1, 1).Value = arr(i)
    Next
End Sub
```

惜しいですね。それに加えて、ループ処理の終了値の変更も必要です。「i = 0 To 2」のままでは増やした要素がループ処理の対象になりませんので、「i = 0 To 4」と、増やした分に合わせて終了値も変更します。

▼ 配列の要素を追加して利用する②

```
                                          Chapter07¥Sample19.txt
Sub Macro5()
    Dim arr(4) As String, i As Long
    arr(0) = "あんぱん"
    arr(1) = "食パン"
    arr(2) = "肉まん"
    arr(3) = "ツナサンド"
    arr(4) = "焼きそばパン"

    For i = 0 To 4
        Cells(i + 1, 1).Value = arr(i)
    Next
End Sub
```

ループ処理の方もセットで変更しなくちゃ駄目なんだね。

はい。ちなみに、開始値と終了値は、配列の最初のインデックス数を知るための「LBound関数」と、最後のインデックス数を知るための「UBound関数」を使って「For i = LBound(arr) To UBound(arr)」のように記述することもできます。これならば、要素数が増減しても、この箇所は変更しなくてもOKです。

それは便利だね。ということはカスタマイズしようと思っているコードがこの形式だったら、変更するのは配列だけでOKだね。

自分では使わなくても、知っておくとカスタマイズの際の変更ポイントが絞り込めますね。VBAでは、このようにして「条件分岐」や「繰り返し処理」を使ってプログラムの流れを設定します。

サンプルファイル Chapter07¥S07_演習.xlsm

HINT 手軽に配列を扱える2つの仕組み

配列を扱う際に知っておくと便利な仕組みを2つ紹介します。

まずは**Join関数**です。Join関数は、配列の値を指定した区切り文字で連結した文字列を返します。配列の内容を手軽に表示・確認したい場合に便利です。

```
'配列の内容を改行文字で区切ってメッセージボックスに表示
MsgBox Join(Array("Excel", "2021", "VBA"), vbCrLf)
```

続いては**Split関数**です。Split関数は、文字列を任意の区切り文字で分割して配列を作成します。区切り文字のある文字列から配列を作成したい場合に便利です。

```
'「@」を区切り文字にして配列を作成
Dim arr As Variant
arr = Split("Excel@2021@VBA", "@")
Debug.Print arr(0), arr(1), arr(2)
```

CHAPTER

08

VBA関数の使い方

08-01 VBA関数の意味と役割を理解する

関数の基本的な構文

　VBAには、さまざまな計算や情報の収集を行うための仕組みである**関数**が用意されています。VBAで使用する関数は、ワークシート上でセルに入力する関数と区別するために、**VBA関数**とも呼ばれます。

　VBA関数の基本的な構文は以下のようになります。ものすごくシンプルです。

VBA関数の利用

```
関数名(引数)
```

　関数名に続けて「**()**（カッコ）」を記述し、そのなかに関数を使って行う計算に応じた、「計算の材料」となる引数を記述します。引数を複数指定する場合には、「**,**（カンマ）」で区切って列記します。なお、1つ目の引数を**引数1**、2つ目を**引数2**のように呼びます。

VBA関数の利用（複数の引数を指定する場合）

```
関数名(引数1, 引数2)
```

ワークシート関数と同じ仕組みだね。これなら簡単に使えそうだよ。

関数と「戻り値」

　関数による計算の結果、返ってくる答えのことを**戻り値**（もどりち）と呼びます。戻り値は変数に代入して使用したり、そのまま値として使用できます。

　戻り値を受け取る変数を用意する場合には、**関数の戻り値に合わせたデータ型**で宣言を行います。

　次のコードでは、文字数を返す**Len関数**の結果を変数に代入して利用します。

Len関数に「文字列を代入した変数str」を引数として指定し、代入した文字列の文字数を取得しています。取得した結果は、変数strLengthに代入し、メッセージボックスに表示しています（MsgBoxもメッセージボックスを表示するVBA関数です）。

サンプルファイル Chapter08¥S08_VBA関数.xlsm

▼Len関数の結果を変数に代入する

Chapter08¥Sample01.txt

```
Dim str As String, strLength As Long
str = "ExcelVBA"
strLength = Len(str)
MsgBox str & "の文字数は、" & strLength
```

▼Len関数で文字数を取得して、メッセージボックスで表示する

Len関数で取得した文字数を表示します。

> なるほどね。でも、使いたいVBA関数の戻り値のデータ型がわからない場合はどうすればいいの？

> ヘルプやリファレンスで調べるのが確実ですね。それ以外にも、データ型を調べる**TypeName**関数を使う方法もありますよ。次のコードの「Len」の部分を調べたい関数名に変えて実行すれば、イミディエイトウィンドウに戻り値のデータ型が表示されます。

▼VBA関数の戻り値のデータ型を調べる

Chapter08¥Sample02.txt

```
Debug.Print TypeName(Len("ExcelVBA"))
```

▼イミディエイトウィンドウに戻り値のデータ型が表示される

コードで指定したVBA関数の戻り値のデータ型が表示されます。

08-02 よく使う**VBA関数を**覚えておく

文字列を扱うVBA関数

　よく使うVBA関数を一覧表形式でざっと紹介します。すべてを覚える必要はありませんが、カスタマイズしようとしているコード内で見かけたら、ここで紹介する内容を元に、何のために使っているVBA関数なのかを理解する手がかりとして下さい。なお、すべてのVBA関数を網羅しているわけではありませんので、記載されていないVBA関数に関しては、ヘルプ等で検索をして調べて下さい。

　文字列を扱う際には、以下のVBA関数がよく使われます。

▼ **文字列を扱うVBA関数**

関数	説明
文字数を調べたい	
Len	文字数を調べる
任意の文字列を抜き出したい	
Right	文字列の右から指定した文字数だけ取り出す
Left	文字列の左から指定した文字数だけ取り出す
Mid	文字列の指定した位置から指定した文字数だけ取り出す
任意の文字列のある位置を調べたい	
InStr	文字列内の指定した文字列のある場所を調べる
InStrRev	文字列内の指定した文字列のある場所を逆から調べる
任意の文字列を置き換えたい	
Replace	文字列内の任意の文字列を置き換える
余分なスペースを取り除きたい	
Trim	文字列左右の余分なスペースを取り除く
LTrim	文字列左側の余分なスペースを取り除く
RTrim	文字列右側の余分なスペースを取り除く
文字列の形式を統一したい	
StrConv	大文字・小文字・ひらがな・カタカナ・全角・半角を統一する
指定した表示形式に変換したい	
Format	指定した値を任意の表示形式で表示した文字列を返す

配列と組み合わせて利用したい	
Join	配列を繋げた文字列を返す
Split	文字列から配列を作成する

▼ 文字数を調べたい

コードの例	戻り値
Len("VBA")	3

▼ 任意の文字列を抜き出したい

コードの例	戻り値
Right("ExcelVBA", 3)	VBA
Left("ExcelVBA", 5)	Excel
Mid("ExcelVBA", 3, 3)	cel

▼ 任意の文字列のある位置を調べたい

コードの例	戻り値
InStr("神奈川県横浜市中区", "県")	4
InStrRev("192.168.1.13", ".")	10

　InStr関数とInStrRev関数は、引数1に指定した文字列内に、引数2に指定した文字列がある場合にはその位置を返しますが、見つからない場合には「0」を返します。

▼ 任意の文字列を置き換えたい

コードの例	戻り値
Replace("ExcelVBA", "VBA", "2021")	Excel2021

▼ 余分なスペースを取り除きたい

コードの例	戻り値
Trim("_Excel_VBA_")	Excel_VBA
LTrim("_Excel_VBA_")	Excel_VBA_
RTrim("_Excel_VBA_")	_Excel_VBA

　上記のコード例と戻り値の「_」部分はスペースを表しています。コード例を実際に試してみる際には、「_」をスペースに置き換えて下さい。

▼ 大文字・小文字・ひらがな・カタカナ・全角・半角といった文字形式を統一したい

コードの例	戻り値
StrConv("ｴｸｾﾙ Ｖ ｂ ａ ", vbKatakana + vbUpperCase + vbWide)	エクセルＶＢＡ

なお、変換したい形式は、StrConv関数の引数2に、**VbStrConv列挙**の定数を使って指定します。複数の形式を組み合わせて指定する場合には、指定したい定数を「**＋**（プラス）」で繋げます。定数は「値」で指定することもできます（177ページ）。

▼ VbStrConv列挙の値と対応する形式

定数	値	形式
vbUpperCase	1	大文字に変換
vbLowerCase	2	小文字に変換
vbProperCase	3	先頭の文字を大文字に変換
vbWide	4	全角文字に変換
vbNarrow	8	半角文字に変換
vbKatakana	16	カタカナに変換
vbHiragana	32	ひらがなに変換
vbUnicode	64	既定のコードページからUnicodeに変換
vbFromUnicode	128	Unicodeから既定のコードページに変換

▼ 指定した表示形式に変換したい

コードの例	戻り値
Format(2000, "#,###円")	2,000円

Format関数は、引数1で指定した値を、引数2に指定した形式で表示した場合の文字列を返します。この表示形式の指定方法は、Excelのワークシート上での書式設定で指定する形式とほぼ同じです。詳しくはヘルプ等を参照して下さい。

▼ 配列と組み合わせて利用したい

コードの例	戻り値
Join(Array("梅", "桃", "桜"), "：")	梅：桃：桜
Split("梅,桃,桜", ",")	「梅」「桃」「桜」を要素に持つ配列

数値を扱うVBA関数

数値を扱う際には、以下のVBA関数がよく使われます。

▼ 数値を扱う関数

関数	説明
Int	数値を切り捨てる
Round	数値を四捨五入する（※銀行丸め方式）
Val	文字列の先頭部分から数値を取り出す

▼ 数値を切り捨てる

コードの例	戻り値
Int(10.5)	10

Int関数は、値が整数となるように切り捨てます。

▼ 数値を四捨五入する

コードの例	戻り値
Round(11.5)	12
Round(10.55, 1)	10.6

Round関数は引数を1つだけ指定すると、値が整数になるように四捨五入します。さらに、2つ目の引数を指定すると、四捨五入を行う桁の位置を指定できます。引数2に「1」を指定した場合には、小数第1位の箇所で四捨五入を行います。

▼ 文字列の先頭部分から数値を取り出す

コードの例	戻り値
Val("100円")	100

Val関数は引数に指定した文字列から、「先頭部分から見て数値として読み取れる部分まで」を数値化した値を返します。「100円」であれば「100」、「1,000円」の場合は「1」を返します。

HINT Round関数は「銀行丸め」

Round関数の四捨五入は、**銀行丸め**と呼ばれる方式です。銀行丸め方式とは、四捨五入の計算対象の端数部分の値がちょうど「5」の場合は、上の桁が偶数になる答えを返す形式です。このため、「Round(10.51)」の戻り値は「11」ですが、「Round(10.5)」の戻り値は、「11」ではなく「10」になります。

「10.5」のような数値を四捨五入した際に「11」という答えを得たい場合には、WorksheetFunctionオブジェクトの仕組み（182ページ）を利用して、**ROUNDワークシート関数**の方を利用しましょう。ちなみに、「Application.WorksheetFunction.Round(10.5,0)」は、「11」を返します。

日付・日時を扱うVBA関数

日付や**日時**を扱う際には、以下のVBA関数がよく使われます。

▼ 日付・日時を扱う関数

関数	説明
日付シリアル値から一部の値を取り出す	
Year	「年」を取り出す
Month	「月」を取り出す
Day	「日」を取り出す
Hour	「時」を取り出す
Minute	「分」を取り出す
Weekday	曜日を表す数値を返す
WeekdayName	数値に対応した曜日の文字列を返す
文字列を日付シリアル値に変換する	
DateValue	日付形式の文字列を日付シリアル値に変換する
TimeValue	時刻形式の文字列を日付シリアル値に変換する
日時ベースの計算を行う	
DateAdd	特定の日付から、指定日時経過後の日付を返す
DateDiff	2つの日付の差分を返す
現在の日時を取得するプロパティ	
Now	現在の日時を取得できる
Date	現在の日付を取得できる
Time	現在の時刻を取得できる

▼ **日付シリアル値から一部の値を取り出す**

コードの例	戻り値
Year(tmpDate)	2023
Month(tmpDate)	5
Day(tmpDate)	1
Hour(tmpDate)	12
Minute(tmpDate)	0
Weekday(tmpDate)	2
WeekdayName(Weekday(tmpDate))	月曜日

▼ **このようにセルに日付シリアル値が入力されているとする**

3	
4	対象の日付
5	2023/5/1 12:00 AM
6	

　変数「tmpDate」にセルに入力された日付シリアル値が代入されている場合、各関数は上の表のような戻り値を返します。

▼ **文字列を日付シリアル値に変換する**

コードの例	戻り値
DateValue("2023年5月1日")	2023/5/1 (シリアル値)
TimeValue("22時15分")	10:15:00 PM (シリアル値)

▼ **日時ベースの計算を行う（加算）**

コードの例	戻り値
DateAdd("d", 20, tmpDate)	2023/5/21 12:00
DateAdd("m", 20, tmpDate)	2025/1/1 12:00

　DateAdd関数では、引数1で指定した計算項目で、引数2で指定した数値を、引数3で指定した日付シリアル値に加算した日時を表すシリアル値を返します。ここでは、引数3の「tmpDate」には「2023/5/1 12:00 AM」という日付シリアル値が代入されているものとします。

　同じ「20」を加算する場合でも、計算項目の指定によって「20日後の日付」や、「20か月後の日付」等を計算できます。引数1では、次の文字列を使って計算項目を指定します。

▼ 計算項目と対応する文字列

計算項目	文字列
年	yyyy
月	m
日	d
時	h
分	n
秒	s
週	ww
四半期	q

▼ 日時ベースの計算を行う（差分）

コードの例	戻り値
DateDiff("d", DateValue("2023/2/10"), DateValue("2023/4/1"))	50
DateDiff("m", DateValue("2023/2/10"), DateValue("2023/4/1"))	2

　DateDiff関数では、引数1で指定した計算項目で、引数2で指定した日付と、引数3で指定した日付の差分を返します。計算項目の指定によって「2つの日付の間の日数」や、「2つの日付の間の月数」等を計算できます。

　引数1で指定する計算項目は、DateAdd関数のものと同じ形式となります。

 よく使うVBA関数は決まっているので、関数名を手がかりに、ある程度の用途が読み取れるようにしておきましょう。

HINT 現在の日時を取得するプロパティ

　厳密にはVBA関数ではないのですが、「Now」「Date」「Time」の各プロパティは、コード内に記述することによって、実行時の日時に関するシリアル値を得ることができます。

コードの例	戻り値
Now	実行時の日時（2023/2/1 10:30AM 等）
Date	実行時の日付（2023/2/1 等）
Time	実行時の時刻（10:30AM 等）

HINT VBA関数の戻り値の確認方法

VBA関数の戻り値を確認するには、**MsgBox関数**を利用するのが便利です。MsgBox関数は、引数に指定した値をメッセージボックスに表示します。

紹介したコード例を次のように記述することで、戻り値を文字列として表示することができます。

```
MsgBox Now
```

MsgBox関数については、この後で詳しく解説します。

Nowの戻り値（現在の日時）が表示されます。

HINT マクロをショートカットキーに登録する

作成したマクロは、ショートカットキーに登録して使用できます。「マクロ」ダイアログボックスで登録するマクロを選択し、**オプション**ボタンを押すと、「マクロオプション」ダイアログボックスが開きます。**ショートカットキー**欄に、ショートカットキーとして登録したいアルファベット文字を入力して、**OK**ボタンを押せば登録完了です。

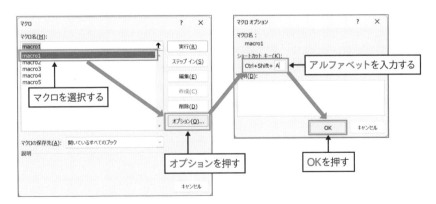

08-03 ユーザーへの問いかけを行う VBA関数を使う

メッセージを表示するMsgBox関数

VBA関数のなかで非常によく使われるものに、「MsgBox関数」と「InputBox関数」があります。この2つの関数は、少々特殊な「**ユーザーに問いかけを行い、その結果を返す関数**」です。2つの関数の使い方を押さえておきましょう。

MsgBox関数は、これまでの説明でも何度も使用していますが、引数として指定した文字列を**メッセージボックス**に表示できます。

MsgBox関数①

```
Msgbox  表示内容
```

単にメッセージを表示するだけの場合には、引数に「表示内容」のみを指定します。引数2に「ボタンの種類」、引数3に「タイトル」を指定することで、メッセージボックスに表示するボタンの数や種類、タイトル等を変更することができます。

MsgBox関数②

```
Msgbox  表示内容，ボタンの種類，タイトル
```

▼ MsgBox関数で指定する引数

引数	引数名	説明
表示内容	Prompt	表示する文字列を指定
ボタンの種類	Buttons	表示するボタンの種類を定数で指定（省略可能）
タイトル	Title	タイトル部分に表示する文字列を指定（省略可能）

次のコードは、引数に指定した文字列をメッセージボックスに表示するものです。OKボタンを押せば、メッセージボックスを閉じることができます。

▼ メッセージボックスに文字列を表示する

Chapter08¥Sample03.txt

```
MsgBox  "文字列を表示します"
```

▼ MsgBox関数でメッセージボックスを表示できる

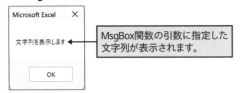

MsgBox関数の引数に指定した
文字列が表示されます。

▼ 引数に表示する文字列を指定する

また、引数**Title**を指定すると、タイトル部分に表示する文字列も変更できます。引数の値を渡す場合は、引数名と「**:=**（コロン・イコール）」で繋いで記述します。

▼ タイトルを指定してメッセージボックスを表示する

Chapter08¥Sample04.txt

```
MsgBox "表示内容", Title:="タイトルも変更できます"
```

▼ メッセージボックスに表示するタイトルを変更することができる

引数Titleに指定した文字列が
タイトルとして表示されます。

▼ 引数Titleにタイトル文字列を指定する

さらに、引数**Buttons**に、**VbMsgBoxStyle列挙**（175ページ）の定数を指定すると、表示するボタンも変更できます。

▼ ボタンを指定してメッセージを表示する

Chapter08¥Sample05.txt

```
MsgBox "処理を実行しますか？", Buttons:=vbYesNo
```

▼ メッセージボックスに表示するボタンを設定することができる

引数Buttonsに指定した定数に
応じたボタンが表示されます。

▼ 引数Buttonsに定数でボタンを指定する

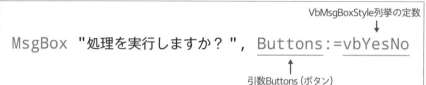

VbMsgBoxStyle列挙の定数
↓
MsgBox "処理を実行しますか？", Buttons:=vbYesNo
↑
引数Buttons（ボタン）

これは面白いね。引数の指定で、単に「お知らせ」を表示するだけでなく、「問いかけ」を行うようなメッセージボックスが表示できるんだね。でも、ユーザーがどのボタンを押したかを調べたい場合はどうすればいいの？

その場合は、MsgBox関数の「戻り値」を変数に受け取ってチェックします。変数の値を、ボタンに対応した**VbMsgBoxResult列挙の定数**（177ページ）と比べることで、どのボタンを押したのかがわかりますよ。

　次のコードでは、「はい」「いいえ」の2つのボタンを持つメッセージボックスを表示し、ユーザーが押したボタンの種類を、変数「selectedButton」に受け取り、処理を分岐しています。

　「はい」が押された場合は戻り値として「**vbYes**」が返されます。それを変数selectedButtonに代入することで、If Elseステートメント（130ページ）の判定条件にしています。

▼ メッセージボックスのボタンで処理を分岐する

```
                                              Chapter08¥Sample06.txt
Dim selectedButton As Long
selectedButton = _
    MsgBox("どちらかのボタンを押して下さい", Buttons:=vbYesNo)
If selectedButton = vbYes Then
    MsgBox "[はい]のボタンを押しました"
Else
    MsgBox "[いいえ]のボタンを押しました"
End If
```

どれどれ…本当だ。押したボタンによって処理が分岐できるね。なるほど。ところで、変数で結果を受け取る場合には、MsgBox関数の引数をカッコで囲っているよね。今まではこのカッコはなかったけれども、どういう違いがあるの？

鋭いですね。MsgBox関数はちょっと特殊で、単にメッセージボックスを表示する場合には、特にカッコで囲むことなくコードを記述します。**戻り値を利用して処理を分岐したい場合は、他のVBA関数同様に引数をカッコで囲む**という使い方をします。

この仕組みを知っていると、MsgBox関数でカッコを使っているコードを見かけたら、「**ユーザーの選択を受け取っているんだな**」と判断できるようになりますね。

MsgBox関数で使用する列挙と定数

MsgBox関数で表示するボタンの組み合わせを指定する際に利用する定数には、以下のものが用意されています。

警告や問い合わせ等の**アイコン**を指定するための定数も用意されています。メッセージボックスの表示時に選択されているボタン（**デフォルトボタン**）を指定することもできます。

▼ VbMsgBoxStyle列挙の値と設定

名前	値	説明
表示ボタンの組み合わせに関する項目		
vbOKOnly	0	「OK」ボタン（既定値）
vbOKCancel	1	「OK」「キャンセル」ボタン
vbAbortRetryIgnore	2	「中止」「再試行」「無視」ボタン
vbYesNoCancel	3	「はい」「いいえ」「キャンセル」ボタン
vbYesNo	4	「はい」「いいえ」ボタン
vbRetryCancel	5	「再試行」「キャンセル」ボタン
表示アイコンに関する項目		
vbCritical	16	警告メッセージアイコン
vbQuestion	32	問い合わせメッセージアイコン
vbExclamation	48	注意メッセージアイコン
vbInformation	64	情報メッセージアイコン

デフォルトボタンに関する項目		
vbDefaultButton1	0	1番目のボタンをデフォルトにする（既定値）
vbDefaultButton2	256	2番目のボタンをデフォルトにする
vbDefaultButton3	512	3番目のボタンをデフォルトにする
vbDefaultButton4	768	4番目のボタンをデフォルトにする
その他		
vbApplicationModal	0	アプリケーションモーダルに指定（既定値）
vbSystemModal	4096	システムモーダルに指定
vbMsgBoxHelpButton	16384	「ヘルプ」ボタンを表示
VbMsgBoxSetForeground	65536	最前面のウィンドウとして表示
vbMsgBoxRight	524288	右寄せで表示
vbMsgBoxRtlReading	1048576	右から左へ表示（アラビア語圏用）

　定数は組み合わせて使用することができます。その場合、同じ項目に関する設定は、項目内のうちの1つしか指定できません。「その他」の設定は同時に指定できます。

　次のコードは、「『はい』『いいえ』ボタン」と「問い合わせメッセージアイコン」を同時に表示します。定数を組み合わせる場合は、「+（プラス）」で繋ぎます。

▼ **定数を組み合わせて指定**

```
                                          Chapter08¥Sample07.txt
MsgBox "犬よりも猫が好きですか？", Buttons:=vbYesNo + vbQuestion
```

▼ **表示するボタンとアイコンを指定できる**

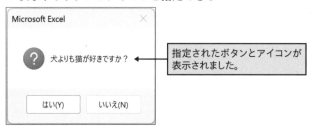

　また、押したボタンを判断する際に利用する定数には、以下のものが用意されています。

▼ **VbMsgBoxResult列挙の値と対応するボタン**

名前	値	説明
vbOK	1	「OK」ボタン
vbCancel	2	「キャンセル」ボタン
vbAbort	3	「中止」ボタン
vbRetry	4	「再試行」ボタン
vbIgnore	5	「無視」ボタン
vbYes	6	「はい」ボタン
vbNo	7	「いいえ」ボタン

HINT 値を使った定数の指定方法

メッセージボックスに表示するボタンを指定する際に、「Buttons:=**vbYesNo**」という書き方をしました。これは「Buttons:=**4**」と記述することもできます。列挙を紹介する表に「値」という項目がありますが、この値と定数は1対1で結び付いています。「vbYesNo = 4」等のように、定数に値が代入されている状態なので、値を記述すれば、そのまま定数を指定したことになるのです。

また、列挙の定数は「**+**」演算子で繋げて指定できます。例えば、「Buttons:=**vbYesNo + vbQuestion**」と記述すれば、「はい」「いいえ」ボタンと「問い合わせメッセージアイコン」を表示することができます。もちろん、これも値を利用して「Buttons:=**4 + 32**」と記述することもできます（定数の値は175ページを参照）。

ここで、+演算子は加算を行うことを思い出して下さい（94ページ）。つまり「4 + 32」は「36」と等しくなります。そのため「Buttons:=**36**」と記述しても、「4 + 32」と記述した場合と結果は同じになります。定数の値は加算した状態で指定できることも覚えておいて下さい。なお、「組み合わせて指定可能な定数の値を加算した結果」は、同一列挙内の他の定数の値とかぶることはないようになっています。

HINT 引数の順番と省略方法

VBA関数やメソッドの引数には、省略可能なものがあります。MsgBox関数では、「Title（タイトル）」「Buttons（ボタンやアイコン）」の引数は省略可能です。表示内容を指定する「Prompt」は省略できません（エラーになります）。

引数は記述する順番が決まっています。例えばMsgBox関数では、「**Prompt, Buttons, Title**」の順番で記述するようになっています。この順番で記述する場合は、「**引数名:=**」を省略することができます。

```
MsgBox "表示内容", vbYesNo, "タイトル"
```

引数を省略する場合は、順番はそのままで**空白**にします。次のコードは、引数Buttonsを省略した場合です。省略する引数のカンマを削除してしまうとエラーになるので注意して下さい。

```
MsgBox "表示内容", , "タイトル"
```

後ろにある引数すべてを省略する場合は、カンマと一緒にまとめて削除することができます。

```
MsgBox "表示内容"
MsgBox "表示内容", vbYesNo
```

なお、「Buttons:=vbYesNo」のように、引数名を付けて「:=」で値を渡す場合は、順番に関係なく引数を指定することができます。途中の引数を省略する場合にもカンマが必要なくなり、次のように引数名なしの記述と組み合わせることも可能です。

```
MsgBox "表示内容", Title:="タイトルも変更できます"
```

ただし、引数名なしの記述は順番に左右されるので、次のようなコードはエラーになります。

```
MsgBox Title:="タイトルも変更できます", "表示内容"
```

表示内容（Prompt）にも引数名を明示すれば、順番に関係なく実行可能になります。

```
MsgBox Title:="タイトルも変更できます", Prompt:="表示内容"
```

値を入力してもらうInputBox関数

InputBox関数は、ユーザーに値の入力を求める**インプットボックス**を表示できます。次のような構文で記述します。

「表示内容」には、インプットボックスに表示する説明文を記述します。

InputBox関数①

```
Inputbox 表示内容
```

インプットボックスの「タイトル」や、「入力欄にあらかじめ記入されている文字列（既定値）」を指定することもできます。

InputBox関数②

```
Inputbox 表示内容, タイトル, 既定値
```

InputBox関数には、この他にも表示位置等を指定する引数がありますが、ここでは省略します。詳しくはヘルプ等で確認して下さい。

▼ InputBox関数でよく使用する引数

引数	引数名	説明
表示内容	Prompt	表示する文字列を指定
タイトル	Title	タイトル部分に表示する文字列を指定（省略可能）
既定値	Default	入力欄にあらかじめ入力しておく文字列（省略可能）

次のコードは、「表示内容」「タイトル」「既定値」を指定してインプットボックスを表示しています（「表示内容」の引数名は省略して記述しています）。また、コードが長くなるため、行末に「 _（アンダーバー）」を入れて改行しています。

▼ インプットボックスを表示する

```
                                              Chapter08¥Sample08.txt
InputBox "メッセージを入力して下さい", _
         Title:="タイトルも変更できます", _
         Default:="ここに入力します"
```

▼ 「表示内容」等を指定して、インプットボックスを表示できる

タイトル → タイトルも変更できます
表示内容 → メッセージを入力して下さい
既定値 → ここに入力します

▼ 「表示内容」「タイトル」「既定値」を指定して表示する

```
InputBox "メッセージを入力して下さい", _   ← 表示内容
         Title:="タイトルも変更できます", _   ← タイトル
         Default:="ここに入力します"   ← 既定値
```

ユーザーの入力内容は、文字列形式の戻り値として返されます。そのため、数値や日付等を入力してもらいたい場合は、**Val関数**（167ページ）や**DateValue関数**（168ページ）で、適宜変換を行ってから使用します。

次のコードは、インプットボックスに入力した値（文字列）を変数strに代入しています。そのうえでVal関数で数値化して、計算に利用しています（なお、ここでは「表示内容」の引数名を明示して記述してあります）。

▼ インプットボックスの値を数値化して利用する

```
Dim str As String
str = InputBox( _
    prompt:="何ダースの卵を使用するかを入力して下さい", _
    Title:="数量確認", _
    Default:=5 _
)
MsgBox "使用する卵の量:" & Val(str) * 12
```

▼ インプットボックスを利用して値を取得する

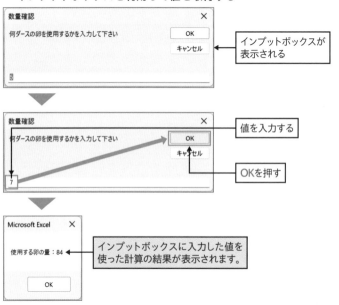

インプットボックスが
表示される

値を入力する

OKを押す

インプットボックスに入力した値を
使った計算の結果が表示されます。

へえ。マクロの実行時にユーザーに値の入力を促せるのか。面白いね。これってユーザーが値を入力するまでは、続きのコードは実行されないの？

はい。MsgBox関数やInputBox関数は、ボタンの選択や値の入力が行われるまで、続きのコードは実行待機状態になります。

> ❗ MsgBox関数とInputBox関数は、ユーザーへの問いかけを行うために使用できます。

HINT 似ているようでちょっと違う「InputBoxメソッド」

InputBox関数によく似た仕組みとして、Applicationオブジェクトの**InputBoxメソッド**があります。InputBoxメソッドも、ユーザーに値を入力してもらうためのインプットボックスを表示するのですが、引数Typeを指定することで、入力してもらう値の種類（データ型）を特定することができるようになっています。

特に押さえておきたいのは、引数Typeに「8」を指定した時です。この場合には、ユーザーにセル範囲を選択してもらうことができるインプットボックスを表示できます。インプットボックス内の入力部分に、直接セル番地をキーボードから打ち込む他、マウスでドラッグしたセル範囲のセル番地を自動的に入力してくれる機能まで備えています。

次に紹介するのが、Application.InputBoxメソッドを利用するコードです。

```
                                              Chapter08¥Sample10.txt
Dim selectedRange As Range
Set selectedRange = Application.InputBox( _
    Prompt:="セル範囲を選択して下さい", _
    Type:=8 _
)
selectedRange.Value = "ExcelVBA"
```

マクロ実行時にセル範囲を選択してもらいたい場合や、カスタマイズするコード内に、ただの「InputBox」ではなく、「Application.InputBox」の記述があった場合に、押さえておくとコードの内容の理解に役立つ仕組みですね。

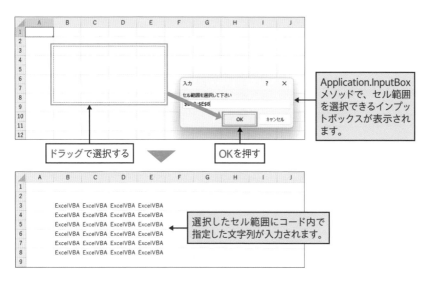

181

08-04 VBAでワークシート関数を使う

WorksheetFunctionオブジェクトの利用

　Excelのワークシート関数に慣れている方であれば、「マクロ内でもワークシート関数を使用できれば楽なのになあ」という処理内容が出てくることでしょう。このような時のために、VBAでは、**ワークシート関数をVBAのコード内で使用する仕組み**が用意されています。

　VBAのコード内でワークシート関数を使用するには、**WorksheetFunctionオブジェクト**を利用します。

ワークシート関数の利用

```
Application.WorksheetFunction.ワークシート関数名(引数)
```

　例えば、値の合計を出す**SUM**ワークシート関数をVBA内で使用するには、以下のようにコードを記述します。

　SUMワークシート関数は、引数に合計する値が入力されたセル範囲を指定します。

▼ **SUMワークシート関数を使用する**

Chapter08¥Sample11.txt

```
Dim total As Long
total = Application.WorksheetFunction.Sum(Range("B2:D4"))
MsgBox "Sum関数の結果：" & total
```

▼ **ワークシート関数を利用して値を取得できる**

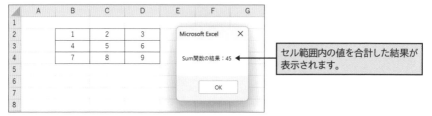

セル範囲内の値を合計した結果が表示されます。

おっ！　ワークシート関数も使えるのか。嬉しいね。

はい。かなりの数のワークシート関数がWorksheetFunctionオブジェクト経由で使用できますよ。ただし、セル範囲の指定の仕方には注意が必要です。

　VBAでワークシート関数を使う仕組みは、ワークシート関数と同じ名前で同じ内容の引数を指定できるメソッドを、WorksheetFunctionオブジェクトに用意することで実現しています。つまり、SUMワークシート関数を実行するのではなく、同じ機能を持ったSumメソッドを実行しているのです。そのため、引数の指定方法が異なってきます。

セル範囲？　ああ、本当だ。ワークシートでは「SUM(B2:D4)」と指定したところを、「Sum(Range("B2:D4"))」とRangeオブジェクトで指定しているね。

そうなんです。そこだけ押さえておけばワークシート関数と同じ感覚で使用できますよ。カスタマイズするコード内に「WorksheetFunction」の記述を見つけたら、「これはワークシート関数を利用しているんだな」と見当がつけられますね。

　なお、どのようなワークシート関数がVBAで使用できるかは、Excel VBAリファレンスの「WorksheetFunctionオブジェクト」のページ（https://learn.microsoft.com/ja-jp/office/vba/api/excel.worksheetfunction）に一覧が記載されています。

HINT 「Exit Sub」でマクロを抜ける

　この後の演習のサンプルコードに登場する「Exit Sub」のような**Exitステートメント**は、マクロそのものや、繰り返し処理等から抜け出すのに使用します。「Exit Sub」とすることで、実行がその行に達した段階で、Subから始まるマクロの処理から抜け出ます（マクロを終了します）。また、「Exit If」とすることで、If文から抜けて、次の処理へと進めることができます（マクロは終了しません）。「Exit Do」とすることで、Doを使ったループから抜け出すこともできます。

　「Exitとあった場合は、そこから抜け出す」と覚えておきましょう。

次のコードは、「123.45×30」という計算の結果を、小数点以下を切り捨てしてメッセージボックスに表示しています。現在、その答えは「3703」と表示されていますが、**表示形式を適用した「3,703」になるようにコードを変更して下さい**。なお、適用する表示形式は、「#,###」という形式とします。

▼ 計算結果を切り捨てして表示する

```
                                          Chapter08¥Sample12.txt
Sub Macro1()
    MsgBox "計算結果:" & Int(123.45 * 30)
End Sub
```

▼ 計算結果がメッセージボックスに表示される

へえ。Int関数を使って、戻り値として計算結果の答えを切り捨て表示しているわけだね。ということは、この戻り値に対して表示形式を設定すればいいわけだ。表示形式を設定するのはFormat関数だから、Format関数の引数部分にInt関数の戻り値を当てはめて…こうかな？

▼ 計算結果の形式を指定して表示する

```
                                          Chapter08¥Sample13.txt
Sub Macro2()
    MsgBox "計算結果:" & Format(Int(123.45 * 30), "#,###")
End Sub
```

 正解です。式の入れ子構造が深くなってしまって見づらいと感じるようであれば、変数を使って次のように整理してもいいですね。

▼ 計算結果の形式を指定して表示する（変数を利用）

```
Sub Macro3()
    Dim num As Long
    num = Int(123.45 * 30)
    MsgBox "計算結果：" & Format(num, "#,###")
End Sub
```

なるほど。変数を使うと随分すっきりするね。

では、続いての問題です。次のコードは、「はい」「いいえ」ボタンを持つメッセージボックスを表示し、「はい」ボタンを押せば処理を続行し、「いいえ」ボタンを押せば処理を中断する、という動きを意図して作成されたものです。ところが、このままでは「いいえ」ボタンを押しても処理が続行されていています。意図した動作になるようにコードを修正して下さい。

▼「いいえ」を押すと処理が終了するメッセージボックス（間違い）

```
Sub Macro4()
    Dim selectedButton As Long
    selectedButton = MsgBox("処理を実行しますか？", vbYesNo)
    If selectedButton = vbCancel Then
        MsgBox "処理を中断しました"
        Exit Sub
    End If
    MsgBox "処理が終了しました"
End Sub
```

▼ 押したボタンを戻り値で判定する

えっ。カスタマイズする元のコードが間違ってるのか。そういうこともあるのかな。ええと、「いいえ」ボタンを押した時の動作がおかしいわけだから、Ifステートメントの条件式辺りが怪しいね。…vbCancelは確か「キャンセル」ボタンを指定する定数…ん？　表示してたのは、「はい」と「いいえ」ボタンだよね。ということは、ここを「いいえ」ボタンを表す定数の「vbNo」に変更して…こうかな？

▼「いいえ」を押すと処理が終了するメッセージボックス（正解）

```
                                          Chapter08¥Sample16.txt
Sub Macro5()
    Dim selectedButton As Long
    selectedButton = MsgBox("処理を実行しますか？ ", vbYesNo)
    If selectedButton = vbNo Then
        MsgBox "処理を中断しました"
        Exit Sub
    End If
    MsgBox "処理が終了しました"
End Sub
```

正解です。MsgBox関数を扱う時の仕組みと定数をよく押さえていますね。VBAでは、このようにしてVBA関数を利用し、目的の値を取得・確認しながらコードを記述していきます。

サンプルファイル　Chapter08¥S08_演習.xlsm

CHAPTER

09

操作に合わせて
マクロを実行する

09-01 イベント処理の仕組みと コードの記述場所を理解する

イベント処理を体験する

VBAには、「ブックを開いた時」「シートがアクティブになった時」「セルの内容を変更した時」等、**何らかの操作を行ったタイミング**で任意の処理を実行する仕組みが用意されています。この「何らかの操作」を**イベント**と呼び、この仕組みを利用してコードに記述された内容を実行することを、**イベント処理**と呼びます。

まずはイベント処理を体験してみましょう。サンプルから「S09_イベント処理.xlsm」を開き、マクロを有効にして下さい（17ページ）。

サンプルファイル　Chapter09¥S09_イベント処理.xlsm

すると、メッセージボックスが表示されます。さらに任意のセルを選択すると、そのセルが赤く塗られます。セルの値を変更すると、変更したセルのセル番地をメッセージボックスで表示します。

これらはすべて、イベント処理の仕組みを利用しています。何らかのイベントが発生すると、それに対応した処理が実行されるのです。

▼ **それぞれの処理は、操作（イベント）に対応している**

処理		操作（イベント）
メッセージボックスが表示される	＝	ブックを開く Workbook_Openイベント
セルを選択すると赤く塗られる	＝	セルを選択する Worksheet_SelectionChangeイベント
値を変更すると、セル番地を メッセージボックスで表示する	＝	セルの値を変更する Worksheet_Changeイベント

▼ イベントに応じて、処理が実行される

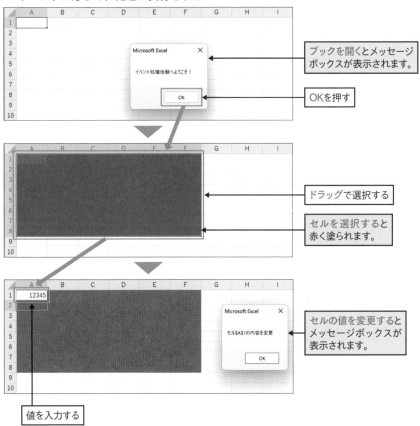

ブックを開くとメッセージ
ボックスが表示されます。

OKを押す

ドラッグで選択する

セルを選択すると
赤く塗られます。

セルの値を変更すると
メッセージボックスが
表示されます。

値を入力する

へえ。実行するマクロをダイアログボックスから選択しなくても処理が自動
的に実行されるのか。面白いね。どれどれ、マクロの中身はどうなってるの
かな？ …あれ？ コードを記述しているはずの「標準モジュール」が見当
たらないんだけど？

はい。実は、イベント処理は標準モジュールとは別の場所にコードを記述す
るのです。

❗ イベント処理は、「何らかの操作」に応じて自動的にマクロが実行されます。

イベント処理を記述するオブジェクトモジュール

　イベント処理は、これまでにコードを記述してきた標準モジュールではなく、**オ ブジェクトモジュール**に記述します。オブジェクトモジュールとは、VBE画面左 上の「プロジェクトエクスプローラー」で、「Microsoft Excel Objects」フォルダー内 に表示されているモジュールです。

　通常、この場所には、ブック内に作成されているワークシートに対応する**Sheet モジュール**や、ブックに対応する**ThisWorkbookモジュール**が表示されています。 Sheetモジュールはブック内の各ワークシートごとに用意されます。

▼ ワークシートとブックのオブジェクトモジュールが用意されている

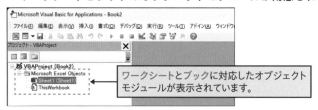

　このなかから、ワークシート（あるいはその上にあるセル）に関する操作に対応 するイベント処理を作成したい場合は「Sheetモジュール」、ブックに関する操作に 対応するイベント処理を実行したい場合は「ThisWorkbookモジュール」を選択しま す。

▼ オブジェクトモジュールにコードを記述する

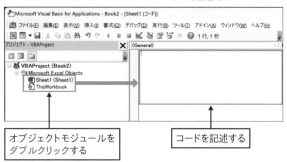

オブジェクトモジュールを ダブルクリックする

コードを記述する

　選択したモジュールを**ダブルクリック**すると、右側のコードウィンドウに、対応 するオブジェクトモジュールの中身が表示され、コードを確認・修正できるように なります。

本当だ。なるほどね。「ブックを〇〇した時に何か実行したい」場合には「ThisWorkbookモジュール」にコードを書いて、「Sheet1で〇〇した時に何か実行したい」場合には「Sheet1モジュール」にコードを書いていくわけか。でも、「〇〇した時」というタイミングは、どうやって指定すればいいの？

「〇〇した時」の種類、つまり、イベントの種類ですが、これはあらかじめオブジェクトごとに決められて用意されています。コードを記述する際には、「どのイベントを使うのか」を選択して記述していくことになります。

イベントの種類はオブジェクトごとに決まっている

VBAでは、あらかじめオブジェクトごとに複数のイベントが用意されています。どのオブジェクトにどのようなイベントが用意されているかは、ヘルプ等に記載されています（もしくは、後述するVBEの「イベント」ダイアログボックスで選択できます）。

▼ イベント処理の例

オブジェクト	イベント	説明
Workbook	Open	ブックを開いた時に実行
	BeforeClose	ブックを閉じる時に実行
	BeforeSave	ブック保存時に実行
Worksheet	Activate	シートがアクティブになった時に実行
	Change	任意のセルの値を変更した時に実行
	SelectionChange	選択セルを変更した時に実行
	BeforeDoubleClick	セルをダブルクリックした時に実行

イベントを選択するには、対象のオブジェクトモジュールを**ダブルクリック**してコードを表示し、コードウィンドウ上部の**オブジェクト**欄からオブジェクトを、さらに**イベント**欄からイベントを選択します。すると、対応するイベント処理の「ひな形」が自動入力されます。あとは、ひな形のなかにイベント発生時に実行したいコードを追加していきます。

イベントの選択

オブジェクトモジュールをダブルクリック ➡ ［オブジェクト］欄でオブジェクトを選択
➡ ［イベント］欄でイベントを選択

▼ イベントを選択して「ひな形」にコードを記述する

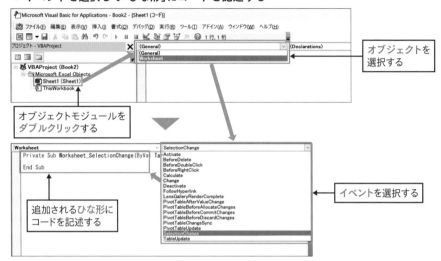

オブジェクトを
選択する

オブジェクトモジュールを
ダブルクリックする

追加されるひな形に
コードを記述する

イベントを選択する

自動で入力してくれるのか。それはありがたいね。コードを追加する箇所
は、「Private Sub」から「End Sub」の間の部分でいいんだよね。

はい。その2つに挟まれた箇所に記述していきます。イベント処理を利用し
たサンプルをカスタマイズする時は、「ThisWorkbookモジュールに記述して
下さい」や、「○○イベント内に記述して下さい」というような指定がある場
合があります。そういう時には、これらの仕組みを使って、コピーをするモ
ジュールを選択したり、イベントを選択すればOKというわけですね。また、
イベント処理を行うコードを**イベントプロシージャ**と呼ぶこともあります。
覚えておきましょう。

HINT Privateは有効範囲を示す

　イベント処理のコードのひな形では、タイトル部分の先頭に**Private**という見慣れ
ないものが付いています。これは**アクセス修飾子**と呼ばれるもので、**マクロの有効範
囲(スコープ)**を示すものです。

　VBAでは、「マクロから別のマクロの処理を呼び出す」という機能が用意されていま
す(呼び出し方は後ほど解説します)。「Private」が付いたものは、記述されたモジュー
ルの外からは呼び出すことができなくなります。例えば、オブジェクトモジュール
「Sheet1」にある「Private」が付いたマクロは、標準モジュールや他のオブジェクトモ
ジュールから呼び出すことはできません(「Sheet1」内のマクロからは呼び出せます)。

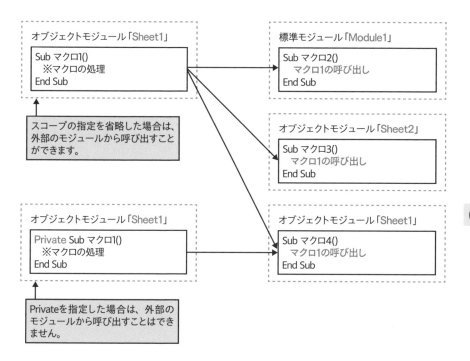

　スコープの指定には**Public**もあります。「Public」を指定することで、外部のモジュールからの呼び出しを許可します。スコープの指定を省略した場合は、「Public」と見なされます。

> ❗ イベント処理はオブジェクトモジュールに記述し、イベントの種類はオブジェクトごとにあらかじめ決まっています。

イベント処理の基本的な構文と引数

　イベント処理は、基本的に以下の構文で記述していきます。

基本的なイベント処理

```
Private Sub オブジェクト_イベント名(Excelから渡される引数)
    イベント発生時に実行したい処理
End Sub
```

　この時、イベントの種類によっては、**イベント発生時の情報や設定を引数の形で渡される**場合もあります。

　例えば、**Worksheetオブジェクトの Change イベント**（セルの値の変更時に発

生するイベント）では、マクロの引数「Target」に、変更が行われたセルの情報が渡されます。受け取った引数Targetをイベント処理内のコードで利用すると、変更の行われたセルに関する操作や情報の取得ができる、といったわけです。

　次のコードは、変更のあったセルのAddressプロパティの値（セル番地）をメッセージボックスに表示します。

▼ イベント処理内で引数から情報を取得する

```
                                              Chapter09¥Sample01.txt
Private Sub Worksheet_Change(ByVal Target As Range)
    MsgBox "セル" & Target.Address & "の内容を変更"
End Sub
```

　また、ブックを閉じる際に実行される**Workbookオブジェクトの BeforeClose イベント**では、引数「Cancel」が渡されます。この引数は、「『ブックを閉じる』という既定の動作をキャンセルするかどうか」を指定するスイッチのような働きをします。イベント処理内で、引数Cancelに「True」を指定すると、ブックを閉じる操作をキャンセルできます。

　次のコードは、ブックを閉じようとした際に、セルB3に何も入力されていない場合はメッセージボックスを表示し、ブックを閉じる操作をキャンセルします。「必須項目を入力しないうちにワークシートを閉じてしまわないようにする」といった処理に使えます。

▼ イベント処理内で引数を使って既定の動作を制御する

```
                                              Chapter09¥Sample02.txt
Private Sub Workbook_BeforeClose(Cancel As Boolean)
    If Range("B3").Value = "" Then
        MsgBox "ブックを閉じる前に、[氏名]欄を入力して下さい"
        Cancel = True
    End If
End Sub
```

へえ、面白い仕組みだね。引数の部分も、ひな形が自動入力してくれるんだよね。

はい。引数は利用してもいいですし、利用しなくてもOKです。初めて利用するイベント処理やサンプルコード内では、とりあえず引数名と意味をチェックしておくと、カスタマイズをする際の手がかりになりますよ。

イベント処理から他のマクロを実行する

イベント処理を作成する際には、「このイベントのタイミングで、あのマクロを実行したいのに」というケースがあります。このような場合の解決策の1つとして、「マクロの中身をイベント処理内へコピーする」という方法が考えられます。これでもよいのですが、既に作成されているマクロがあるのに、同じ内容の他のマクロを追加するのは、どうにも非効率です。さらに、変更があった場合には両方を修正しなくてはならず、保守の面でも危険です。

このようなケースでは、**Callステートメント**が便利です。Callステートメントは、以下の構文で、任意のマクロを実行します。

Call ステートメント

```
Call マクロ名
```

例えば、標準モジュール内に「showHello」という名前のマクロを作成していた場合、ThisWorkbookモジュール内のWorkbook_Openイベントにおいて「Call showHello」と記述すれば、ブックを開いた時にマクロ「showHello」の処理が実行されます。

> サンプルファイル　Chapter09¥S09_Callステートメント.xlsm

▼ **標準モジュールのマクロ**

```
                                                    Chapter09¥Sample03.txt
Sub showHello()
    MsgBox "Hello!!"
End Sub
```

▼ **「showHello」を呼び出して実行する**

```
                                                    Chapter09¥Sample04.txt
Private Sub Workbook_Open()
    Call showHello
End Sub
```

また、Callステートメントは、イベント処理内限定で使用するというわけではなく、あるマクロを実行中に他のマクロを呼び出したい場合にも使用できます。サンプルコードをカスタマイズする際に、**Callステートメントを見かけたら、その箇所は他のマクロを呼び出しているんだな**、と見当をつけましょう。

09-02 定番のイベント処理を ざっと押さえる

記入漏れ等のチェックに使うイベント

　よく使われる定番のイベント処理について、その使いどころと、具体的なコードの例をざっと押さえておきましょう。

　「**記入漏れをチェックしたい**」という用途によく利用されるのが、次のイベントです。

▼ チェック時によく利用されるイベント

オブジェクト	イベント	説明
Workbook	BeforeClose	ブックを閉じる時に実行
	BeforeSave	ブック保存時に実行
	BeforePrint	印刷時に実行
Worksheet	Deactive	アクティブでなくなる(他のワークシートを選択する)時に実行
	BeforeDelete	ワークシートを削除する時に実行

　これらのイベントは、「閉じる前にチェック」「印刷する前にチェック」「別のシートを選択する前にチェック」等、○○する**直前**に発生します。イベントによっては引数Cancelに「True」を指定することで、既定の動作をキャンセルできるものもあります。

　次のコードでは、**WorkbookオブジェクトのBeforeCloseイベント**を使って、セル範囲C2:C4のいずれかのセルに値が入力されていない場合、注意を促すメッセージを表示してブックを閉じないようにします。

サンプルファイル　Chapter09¥S09_定番イベント処理の例.xlsm

▼ 指定したセルが未入力ならブックの終了をキャンセルする

Chapter09¥Sample05.txt
```
Private Sub Workbook_BeforeClose(Cancel As Boolean)
    Dim rng As Range
    For Each rng In Worksheets(1).Range("C2:C4")
        If rng.Value = "" Then
            MsgBox "必要事項を記入してからブックを閉じて下さい"
            Cancel = True
        End If
```

```
        Next
End Sub
```

▼ イベント処理でセルが未入力かどうかをチェックする

ブックを閉じる時に未入力のセルがあると、メッセージが
表示されて、終了がキャンセルされます。

入力の準備に使うイベント

「**作業を始める準備を整えたい**」というような何かの準備によく利用されるのが、
次のイベントです。

▼ 準備時によく利用されるイベント

オブジェクト	イベント	説明
Workbook	Open	ブックを開く時に実行
Worksheet	Active	ワークシートを選択時に実行
	SelectionChange	選択セルの変更時に実行

「ブックを開いた時」「ワークシートをアクティブにした時(選択した時)」「任意の
セルを選択した時」等のタイミングで、ワークシートの体裁を整えたり、入力の準
備をする、いわゆる**作業の初期化**を行いたい場合に適しています。

次のコードは、**WorkbookオブジェクトのOpenイベント**を使って、ブックを
開いた際に1つ目のワークシートを選択し、セル範囲C2:C4の内容をクリアしてメッ
セージを表示します。

▼ セルの値を消去して入力準備を整える

Chapter09¥Sample06.txt

```
Private Sub Workbook_Open()
    With Worksheets(1)
        .Activate
        .Range("C2:C4").ClearContents
        .Range("C2").Select
```

```
        End With
        MsgBox "氏名・都道府県・連絡先を入力して下さい"
    End Sub
```

▼ イベント処理で、セルの値を消去する

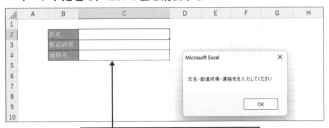

ブックを開いた時にセルの値を消去して、
メッセージが表示されます。

特定のセルの値が変更された際に使うChangeイベント

特定のセルの値が変更されたタイミングで処理を実行したい場合には、
WorksheetオブジェクトのChangeイベント内で、引数Targetを利用してコード
を記述します。

▼ 値の変更時に発生するイベント

オブジェクト	イベント	説明
Worksheet	Change	セルの値が変更された時に実行

ワークシート上のいずれかのセルの値が変更された場合には、Worksheetオブ
ジェクトのChangeイベントが発生します。そのなかで、「特定のセル」を変更した
場合にのみ任意の処理を実行したい場合には、Changeイベント内で引数Targetを
利用して、変更のあったセルがどこなのかをチェックします。

変更のあったセルの場所をチェックする方法には、**Addressプロパティ**でセル
番地の文字列を確認する方法や、「引数に指定した複数のセル範囲の重なり合って
いる部分を返す」仕組みを持つ、**ApplicationオブジェクトのIntersectメソッド**
を利用する方法がよく知られています。

Intersectメソッドを使用する際は、引数Targetと、チェックしたいセル範囲の重
なる部分を取得し、重なる部分が存在するかどうかを判定し、処理を実行します。

次のコードは、セルC2もしくはセル範囲C3:C4のいずれかのセルの内容が変更
された際に、それぞれに応じたメッセージを表示します。

▼ 特定のセルの値が変更されたタイミングで処理を実行する

```
Private Sub Worksheet_Change(ByVal Target As Range)
    If Target.Address = "$C$2" Then
        MsgBox "セルC2の値を変更しました"
    End If
    Dim rng As Range
    Set rng = Application.Intersect(Target, Range("C3:C4"))
    If Not rng Is Nothing Then
        MsgBox "セル範囲C3:C4の、いずれかのセルを変更しました"
    End If
End Sub
```

▼ イベント処理でセルの値の変更をチェックする

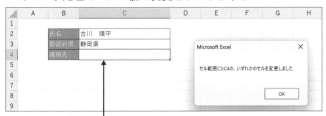

セルの値が変更された時に、
メッセージが表示されます。

へえ。これはまたいろいろなタイミングで処理を実行できるもんだね。

そうですね。イベント処理を作成・カスタマイズする時には、オブジェクト
モジュールを使用することや、引数の利用による既定の動作のキャンセル、
対象セル番地のチェック等、独特の仕組みがありますが、その辺りを押さえ
ておけば、今までのマクロと同じようにカスタマイズができますね。

HINT イベントの連鎖を防ぐ「EnableEventsプロパティ」

　次のWorksheetオブジェクトのChangeイベントを利用したコードは、セルに入力
した値が「10」より小さい場合には、「1」だけ加算するものです。この時、任意のセ
ルに「1」と入力した場合はどうなるでしょうか。

```
                                               Chapter09¥Sample08.txt
Private Sub Worksheet_Change(ByVal Target As Range)
    If Target.Value < 10 Then
        Target.Value = Target.Value + 1
    End If
End Sub
```

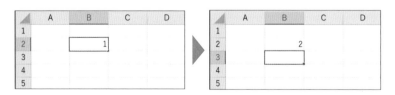

正解は「2」ではなく「10」です。これは、イベント処理内でセルの値を変更したことで再びChangeイベントが発生するという、「イベントの連鎖」が起きてしまい、値が「10」になるまで加算され続けるためです。

このような場合には、イベントを発生させるかどうかを管理する、**EnableEventsプロパティ**を利用します。EnableEventsプロパティは、「False」を設定するとイベントの発生を一時停止し、「True」を設定するとイベントの発生を再開します。そこで、上記のような場合には、イベントの連鎖が発生する箇所を、次のようなコードで挟みます。

```
                                               Chapter09¥Sample09.txt
Private Sub Worksheet_Change(ByVal Target As Range)
    Application.EnableEvents = False
    If Target.Value < 10 Then
        Target.Value = Target.Value + 1
    End If
    Application.EnableEvents = True
End Sub
```

また、イベントの発生を一時停止するという命令は、余計な計算を行わなくてよい分、処理速度が向上するというメリットもあります。カスタマイズするコードのなかに、EnableEventsプロパティを利用したものを見かけたら、イベントの連鎖防止か、速度向上を意図しているんだな、と見当をつけましょう。

イベント処理を変更する

次のマクロは、実行時に選択しているセルに「ExcelVBA」と入力するものです。これを元に、「Sheet1」内のセルをダブルクリックした時に「ExcelVBA」と入力するコードを記述して下さい。

▼ 選択しているセルに値を入力する

Chapter09¥Sample10.txt

```
Sub Macro1()
    Selection.Value = "ExcelVBA"
End Sub
```

セルをダブルクリックした時に発生するイベント処理を利用すればいいわけだね。えーっと…、調べたところ、WorksheetオブジェクトのBeforeDoubleClickイベントのようだね。Sheet1のオブジェクトモジュールを表示して、VBEの右上から対象オブジェクトを「Worksheet」、イベントを「BeforeDoubleClick」と。ひな形が入力されたところでコードをコピーして、こうかな?

▼ セルのダブルクリックで値を入力する

Chapter09¥Sample11.txt

```
Private Sub Worksheet_BeforeDoubleClick(ByVal _
    Target As Range, Cancel As Boolean)
    Selection.Value = "ExcelVBA"
End Sub
```

正解です。このままでもOKですが、もう少し改良してみましょう。「Selection」の部分ですが、これを「Target」に変更すると、見た目に「あ、ダブルクリックしたターゲットのセルを変更しているんだな」ということがわかりやすくなります。また、現状ではセルに値を入力した後に、ダブルクリック操作によって、「セル内編集モード」に入りますね。もう既に必要な値は入力したのですからこの動作が必要ありません。こちらは、引数Cancelを利用してキャンセルしてしまいましょう。

Chapter09¥Sample12.txt

```
Private Sub Worksheet_BeforeDoubleClick(ByVal _
    Target As Range, Cancel As Boolean)
    Target.Value = "ExcelVBA"
    Cancel = True
End Sub
```

なるほど。コードの意味も伝わりやすくなったし、操作的にもより手軽なものになったね。

ちなみに、値を入力するマクロ（Macro1）が既にブック内に作成されており、そのまま生かしたいのであれば、イベント処理内にコードをコピーして編集するのではなく、Callステートメントで呼び出す方法でもよいですね（195ページ）。

では、次の問題です。次のワークシートのオブジェクトモジュールでは、イベント処理を使用して、ダブルクリックしたセルに「OK」と入力し、背景色を「赤」に設定します。同様に、右クリックしたセルの値を消去し、背景色を「白」（色の設定なし）に設定します。この2つの処理が、**セル範囲「D4:D8」でのみ適用されるようにコードを変更して下さい。**

▼ 対象ワークシート

	A	B	C	D	E
1					
2		■集荷チェック項目			
3		id	内容	チェック	
4		1	身分証明書のコピー		
5		2	注文書		
6		3	注文書へのサイン・捺印		
7		4	商品の梱包		
8		5	担当者への連絡		
9					

▼ 対象シートのオブジェクトモジュールに記述したコード

Chapter09¥Sample13.txt

```
Private Sub Worksheet_BeforeDoubleClick(ByVal _
    Target As Range, Cancel As Boolean)
    Target.Value = "OK"
    Target.Interior.Color = rgbRed
    Cancel = True
End Sub
```

```
Private Sub Worksheet_BeforeRightClick(ByVal _
    Target As Range, Cancel As Boolean)
    Target.ClearContents
    Target.Interior.ColorIndex = xlColorIndexNone
    Cancel = True
End Sub
```

うんうん。今回は、セルに対して行う処理は変わらないけど、特定のセル範囲のみで動かしたいというわけだね。えーっと、セル範囲「D4:D8」か。複数のセルということは、Intersectメソッドを利用して、重なっている箇所があるかどうか判定する方法が簡単なのかな。BeforeDoubleClickイベントの中身にIfステートメントを追加して…これでどうだろう。

▼ BeforeDoubleClickイベント処理の改良

```
Private Sub Worksheet_BeforeDoubleClick(ByVal _
    Target As Range, Cancel As Boolean)
    Dim rng As Range
    Set rng = Application.Intersect(Target, Range("D4:D8"))
    If Not rng Is Nothing Then
        Target.Value = "OK"
        Target.Interior.Color = rgbRed
        Cancel = True
    End If
End Sub
```

正解です。Intersectメソッドを使った判定式の利用は一種の構文みたいなものとして覚えてしまいましょう。それから、追加したIfステートメントの中身ですが、きちんとインデントを入れなおしているのが素晴らしいですね！ こうしておけば、どこからどこまでがIfステートメントで実行するコードなのかがわかりやすくなりますね。

さて、残るBeforeRightClickイベントの方だけど、こちらも同様にこうだね。

```
                                              Chapter09¥Sample15.txt
Private Sub Worksheet_BeforeRightClick(ByVal _
    Target As Range, Cancel As Boolean)
    Dim rng As Range
    Set rng = Application.Intersect(Target, Range("D4:D8"))
    If Not rng Is Nothing Then
        Target.ClearContents
        Target.Interior.ColorIndex = xlColorIndexNone
        Cancel = True
    End If
End Sub
```

 はい。OKです。VBAではこのようにして、オブジェクトモジュールを利用したイベント処理を作成・カスタマイズしていきます。

サンプルファイル Chapter09¥S09_演習.xlsm

HINT ブック内のすべてのシートを対象とする「Sheet○○」イベント

198ページでは、ワークシートのChangeイベントを紹介しましたが、そのパワーアップ版とも言えるイベントも用意されています。それが、ThisWorkbookモジュールで設定できる、**WorkbookオブジェクトのSheetChangeイベント**です。

SheetChangeイベントは、ブック内のどのシート（ワークシートでもグラフシートでも大丈夫です）で値の変更をした時でも発生するイベントです。イベント引数として、「どのシートで変更があったのか」と「どのセルで変更があったのか」の2つの情報を受け取ることができます。特定のシートではなく、ブック内の複数のシートで値の変更時に任意の処理を行いたい場合に利用できますね。

ちなみに、Workbookオブジェクトには、この手の「ブック内のシート全体を対象とする、『Sheet○○イベント』」がたくさん用意されています。

CHAPTER

10

カスタマイズの練習

10-01 現在使用している**ブック**と コピー元の**ブック**の確認

現在使用している帳票を確認

「見積書や請求書、清算書といった各種帳票をExcelで作成する」方は多いかと思います。この作業をテーマにカスタマイズの練習を行ってみましょう。まずは、**自動化を行いたい作業と使用しているブックの確認**から始めましょう。

> さて。始めましょうか。先輩がエクセルで扱う機会の多い帳票は何でしょうか？

> そうだなあ。見積書かな。自分で作る場合もあるけど、他の人が作った見積書をチェックする作業が多いね。受注できた案件・できなかった案件の傾向を知るためにも、結構な数を作成・チェックしてるよ。形式はこれだね。

サンプルファイル　Chapter10¥S10_使用する伝票.xlsx

▼ **現在使用している見積書**

ちなみに、取引先や商品は「入力規則」機能を使ってリストから選べるようになっていて、なかなか便利なんだよ。

なるほど。商品の小計や消費税・合計等は数式で計算していて……あ、商品の単価はVLOOKUPワークシート関数で表引きしていますね。いろいろ工夫しているんですね。

▼ 取引先や商品はリストから選ぶこともできる

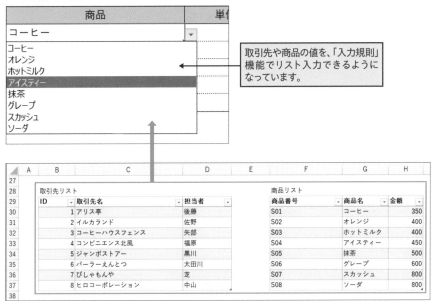

取引先や商品の値を、「入力規則」機能でリスト入力できるようになっています。

ID		取引先名	担当者
	1	アリス亭	後藤
	2	イルカランド	佐野
	3	コーヒーハウスフェンス	矢部
	4	コンビニエンス北風	福原
	5	ジャンボストアー	黒川
	6	パーラーえんとつ	太田川
	7	びしゃもんや	芝
	8	ヒロコーポレーション	中山

取引先リスト

商品リスト

商品番号	商品名	金額
S01	コーヒー	350
S02	オレンジ	400
S03	ホットミルク	400
S04	アイスティー	450
S05	抹茶	500
S06	グレープ	600
S07	スカッシュ	800
S08	ソーダ	800

今は、このひな形のワークシートをいちいちコピーして、コピーしたシートに入力をしているんだよ。商品の単価は、値引きする時もあるから数式を上書きするケースも出てくるしね。

ただ、数が増えるとブックやシートがどんどん増えてしまうんだよね。そうすると番号の振り忘れや、ひな形の数式を上書きしちゃうんだよね。あと、集計する時ににひと仕事になるのも悩ましいところかなあ。

なるほどなるほど。わかりました。では、見積書の転記・保存等を行えるサンプルを探して用意するのがいいかな。えーと…、この辺りでしょうか？

カスタマイズするサンプルの確認

　それでは、カスタマイズする元となるサンプルを見てみましょう。サンプルファイル「S10_見積もりサンプル.xlsm」を開いて下さい。

サンプルファイル　Chapter10¥S10_見積もりサンプル.xlsm

　サンプルは、3枚のシートからなる構成です。**このサンプルに使われているマクロを「現在使用している見積書」にコピーして、カスタマイズ**していきます。

▼ マクロをコピーしたいブックの構成を確認する

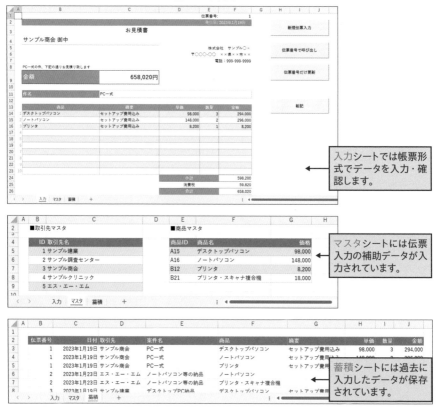

入力シートでは帳票形式でデータを入力・確認します。

マスタシートには伝票入力の補助データが入力されています。

蓄積シートには過去に入力したデータが保存されています。

　サンプルは伝票形式のスタイルで、データの入力・確認を行うためのブックです。ブックには次のマクロが用意されており、それぞれ「**入力**」シート上の4つのボタンから対応するマクロを実行可能です。

サンプルブックに用意されているマクロ／機能

新規の伝票の入力準備

「新規伝票入力」ボタンを押すと、シート内にあるデータの入力を行う箇所をクリアし、必要な数式を入力しなおします。マクロとしては、「**任意のセル範囲のクリア**」「**数式・関数式の入力**」を利用しています。

以前に入力した伝票の呼び出し

以前に保存した伝票番号を入力し「伝票番号で呼び出し」ボタンを押すと、対応する伝票データを表示します。マクロとしては、「**値の検索**」「**セルの値の転記**」を利用しています。

伝票番号だけ更新

「伝票番号だけ更新」ボタンを押すと、最新の伝票番号を入力します。マクロとしては、「**ワークシート関数**」を利用しています。

入力内容の転記・保存

「転記」ボタンを押すと、入力されているデータを「蓄積」シートへと転記します。マクロとしては、「**入力内容のレコード化**」「**新規レコードとして転記**」を利用しています。

新規の伝票番号と日付の自動入力

「伝票番号」、「発行日」のセルをダブルクリックすると、それぞれ新規の伝票番号と現在の日付を入力します。マクロとしては、「**イベント処理**」を利用しています。

取引先リスト／商品リストの表示

「取引先名」、「商品」のセルをダブルクリックすると、ユーザーフォームに入力候補をリスト表示します。マクロとしては、「**イベント処理**」「**ユーザーフォーム**」を利用しています。

　このなかから自分のブックで使えそうなものをピックアップし、カスタマイズしていきます。

カスタマイズの準備

カスタマイズを行う際の下調べ

マクロのカスタマイズを行う際には、以下の下調べを行っておくと、**コピーして利用したいコードがどれなのか**がわかりやすくなります。

- すべてのモジュールのチェック
- マクロの登録されているボタンがある場合は、登録されているマクロのチェック

サンプルブック内のマクロをVBE画面で確認してみましょう。プロジェクトエクスプローラーを見ると、6つのモジュールが確認できます。

▼ ブック内のモジュールを一通り確認する

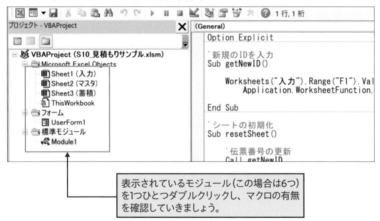

表示されているモジュール(この場合は6つ)を1つひとつダブルクリックし、マクロの有無を確認していきましょう。

ワークシートが3つに、「ThisWorkbook」「UserForm1」「Module1」があります。それぞれを**ダブルクリック**(あるいは**右クリック**して**コードを表示**を選択)して、マクロがあるか(コードが記述されているか)どうかをチェックしましょう。

マクロがあった場合には、「Sub ○○」という記述を目印に、どのような名前やイベント処理(188ページ)が登録されているかもチェックします。このサンプルでは、次表の12個のマクロが作成されていることがわかります。

▼ サンプル内に作成されているマクロ

モジュール	マクロ
Sheet1（入力）	Worksheet_BeforeDoubleClick
	showUserForm
UserForm1	CommandButton1_Click
	CommandButton2_Click
	ListBox1_DblClick
	writeValue
Module1	getNewID
	resetSheet
	checkData
	saveData
	loadData
	deleteCurrentIdData

全部で12個か。それにしても、**コードの書いてある場所は「標準モジュール」だけじゃない可能性もあったんだね。**うっかり「Sheet1」のイベント処理を見落とすところだったよ。

そうなんです。イベント処理は、ワークシートの場合は対応するオブジェクトモジュール、ブックの場合は「ThisWorkbook」モジュールに記述しましたね。初めて見るサンプルの場合、ひと通りチェックしておきましょう。

ところで、見慣れない**「フォーム」というフォルダー**のなかに、これまた見慣れない**「UserForm1」というモジュール**があるけれど、これはいったい何なんだい？

　VBAでは、自分好みの入力補助ダイアログである「ユーザーフォーム」を作成する仕組みもあります。サンプルの場合は、「入力」シートの「商品」欄と「取引先」欄をダブルクリックすると、商品情報や取引情報を入力するためのユーザーフォームが表示されます。このユーザーフォームや利用するマクロは、**フォームモジュール**に作成します。

▼ ユーザーフォームを利用している場合はフォームモジュールが作成されている

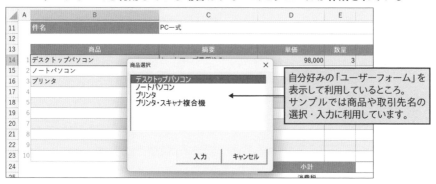

　つまり、サンプルでユーザーフォームを利用している場合、「フォーム」フォルダーとフォームモジュールが作成されているわけですね。ユーザーフォームの仕組みまでコピーしたい場合は、フォームモジュールの内容をコピーすることになります。

　本書ではユーザーフォームの作成・利用方法までは解説を行いませんが、興味のある方は調べてみて下さい。

どのマクロがどの機能なのかを確認していく

　マクロがリストアップできたら、今度はどのマクロがどのような処理を行っているのかを調べていきます。そのままコードを読んで内容を理解できるのが一番ですが、「このボタンに割り当てられているマクロを再利用したい」というようなケースでは、ボタン側から該当ボタンに関連付けられているマクロをチェックするのがお手軽です。

　では、「入力」シート上のボタンに登録されているマクロを調べてみましょう。ワークシート上に配置されたボタンや図形に割り当てられているマクロを調べるには、該当のボタンや図形を右クリックして表示されるメニューから、マクロの登録を選択します。すると、「マクロの登録」ダイアログボックスが表示され、現在登録されているマクロ名が、「ブック名!マクロ名」の形式で表示されます。

▼右クリック→[マクロの登録]で該当マクロを確認

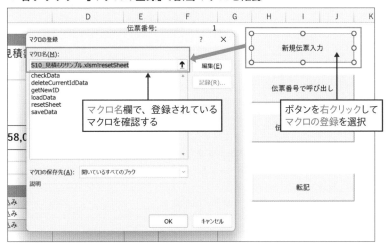

これらの方法でマクロの内容を把握し、自分のブックへ追加したいものを決めます。

さて、どの機能を自分のブックに追加したいですか？

そうだなあ…。今の見積書の入力方式自体は気に入っているし慣れているから、そこは必要ないかな。ユーザーフォームというのも面白そうだけど、今の僕の知識では難しそうだから後回しでいいや。

困っているのは、**入力の面倒さ**と、**ワークシートの数が増えてきた時の対処**なんだよね。練習ということだし、とりあえずは「保存」と「呼び出し」の機能を追加したいな。

わかりました。そうすると、ボタンで言うと「転記」と「伝票番号で呼び出し」ボタンの処理、該当マクロの「**checkData**」と「**loadData**」を元にしたカスタマイズですね。それでは、始めましょうか。

関連マクロの有無をチェックする

「コピー候補のマクロが決まったら、そのマクロをコピーすればよい」というわけではありません。もうひと手間、「関連マクロがあるかどうか」のチェックが必要です。サンプルの「checkData」の内容を例に見ていきましょう。

コードの中身・コメントをざっと確認し、ステップ実行（53ページ）で動きをチェックしていきます。この時、コードの中身すべてを理解できなくても構いません。

▼ マクロ「checkData」のコード

```
                                                   Chapter10¥Sample01.txt
'必要事項が入力されているかをチェック
'チェック項目：idの値のみ
'チェック方法
'     1：空白の場合は処理を中断
'     2：既存の値と重複する場合は上書きするか問い合わせ
'         重複するかどうかは、既存idの最大値より大きいかどうかで判断
'         それ以外は書き込み処理平行
Sub checkData()
    Dim id As Variant          '現在の伝票番号
    Dim newestID As Long       '既存の伝票番号の最大値
    'Application.WorksheetFunctionのショートカットを作成（長いので）
    Dim wf As WorksheetFunction
    Set wf = Application.WorksheetFunction
    '現在の伝票番号と既存の伝票番号の取得
    id = Worksheets("入力").Range("F1").Value
    newestID = wf.Max(Worksheets("蓄積").Range("B:B")) + 1
    '必要項目の入力判定
    If id = "" Then
        '伝票番号が空白の場合は処理を中止
        MsgBox "伝票番号が入力されていません"
        Exit Sub
    ElseIf Val(id) < newestID Then
        '既存の伝票番号と重なる場合は、上書きするかを問い合わせ
        Dim result As Long
        result = MsgBox( _
            "既存の伝票番号と重複します。上書きしますか？", vbYesNo)
        If result = vbYes Then
            '削除した後で上書き
            Call deleteCurrentIdData
            Call saveData
            MsgBox "上書き保存を実行しました"
        Else
            MsgBox "転記を中断しました"
        End If
    Else
        '問題ない場合は転記
        Call saveData
        MsgBox "転記を実行しました"
    End If
End Sub
```

この箇所でマクロ「saveData」に処理が移っています。

214

処理内容はマクロ名やコメントを手掛かりにして、ステップ実行で1行ずつ実行して確認していきます。どうやらこのマクロ、必要な情報が入力されているかのチェックをしているようですね

転記はしていないのかな？　えーっと、「checkData」内をクリックして、[F8] キーでステップ実行開始だったね。うんうん。お？　「Call saveData」の次のステップで、マクロ「saveData」が呼び出されて処理がそっちに移ったぞ。そのままステップ実行を続けると…、ああ、こっちが転記をしているマクロなのか。さらに続けると…、お、「saveData」の処理が終わって、「checkData」内に処理が戻ってきてマクロが終了したぞ。なるほど！

▼ 他のマクロを呼び出している場合もある

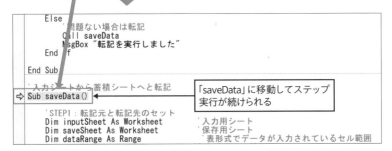

マクロ「saveData」のコメントと内容を見ると、このマクロが保存処理を実行している場所で間違いありませんね。このように、**1つのマクロのなかから別のマクロを利用している場合もあります**。その場合には、**関連マクロも一緒に自分のブックへとコピーする必要があります。**

そうか。値の確認と保存で別のマクロにしてあったわけだね。確認機能はあった方が便利だろうけど、とりあえずはいいや。まずは保存機能を付けてみて、うまくいったら後から付け足す流れでやってみようかな。

いいですね！　マクロの再利用は、小さく始めてだんだん大きくしていくと、混乱せずに進められるんです。そうなると、今回コピーするマクロは「saveData」ということになりますね。

自分のブックへマクロをコピーする

　カスタマイズするマクロが決まったら、自分のブックへマクロをコピーしましょう。「現在使用している見積書」である、サンプル「S10_使用する伝票.xlsx」を開き、マクロを追加するので、**xlsm形式のブック**として保存しなおします。さらに保存しなおしたブックに、標準モジュール（Module1）を追加し、マクロ「saveData」のコードをコピーします。

▼ **マクロのコピーまでの作業**

作業解説	ページ
xlsm形式での保存	45
標準モジュールの追加	32
マクロのコピー	34

　マクロをコピーしただけでは、当然ですが動きません。ここから自分のブックに合わせたカスタマイズを進めていきます。

HINT 変数を宣言する位置とクセ

　コピーするマクロを見て「おや？　変数を宣言する位置がいつもと違うぞ？」と思った方もいるでしょう。実はVBAでは、**その変数を初めて使用する前であればどこで宣言しても構いません。**宣言の位置については、マクロの冒頭でまとめて宣言しておき、「このマクロではこの変数を利用します」と、まとめておくことが多いようです。その他、変数を使う直前で宣言し、「変数の宣言と実際の使用位置を近づけてわかりやすくする」というスタイルもあります。

　さまざまなスタイルで書けるため、まずは「このマクロを書いた人はこういうスタイルなんだな」と把握するクセをつけておくと、マクロの理解がしやすくなります。

10-02 データの転記を行う

注目ポイントは「どこから」「どこへ」「どうやって」転記するのか

　コピーしてきたマクロ、「saveData」のコードは次のようになっています。まずはひと通り中身を眺めてみましょう。なお、文字色が変更されている部分は、マクロをカスタマイズする際のポイントとなる箇所です。

▼マクロ「saveData」のコード

```
                                                    Chapter10\Sample02.txt
'入力シートから蓄積シートへと転記
Sub saveData()
    'STEP1：転記元と転記先のセット
    Dim inputSheet As Worksheet            '入力用シート
    Dim saveSheet As Worksheet             '保存用シート
    Dim dataRange As Range        '表形式でデータが入力されているセル範囲
    Dim saveFieldRange As Range            '転記先のセル情報
    '表形式でデータが入力されているセル範囲を取得
    Set inputSheet = Worksheets("入力")
    Set dataRange = inputSheet.Range("B13:F23")
    '転記先の見出し範囲を取得
    Set saveSheet = Worksheets("蓄積")
    Set saveFieldRange = saveSheet.Range("B2:J2")
    'STEP2：新規データ入力位置取得。見出しからのオフセット数を取得
    Dim newRecordOffset As Long
    newRecordOffset = _
        saveFieldRange.CurrentRegion.Rows.Count
    'STEP3：転記
    '転記のルール：表形式範囲の1列目をチェックし値が入っているものを転記
    Dim newRecordValues As Variant
    Dim dataRow As Long
    dataRow = 2
    ' 2行目・1列目の値からチェック（1行目は見出し）
    Do While dataRange.Cells(dataRow, 1).Value <> ""
        '値が入っていた場合、転記する値のリストを作成
        newRecordValues = Array( _
            inputSheet.Range("F1").Value, _
            inputSheet.Range("F2").Value, _
            inputSheet.Range("B4").Value, _
```

```
        inputSheet.Range("C11").Value, _
        dataRange.Cells(dataRow, 1).Value, _
        dataRange.Cells(dataRow, 2).Value, _
        dataRange.Cells(dataRow, 3).Value, _
        dataRange.Cells(dataRow, 4).Value, _
        dataRange.Cells(dataRow, 5).Value _
    )
    '書き込み。見出しから指定数オフセットした位置のセル範囲に配列の値を入力
    saveFieldRange.Offset( _
        newRecordOffset, 0).Value = newRecordValues
    '表形式データの空白チェックを行う位置を更新
    dataRow = dataRow + 1
    '書き込み位置のオフセット数を更新
    newRecordOffset = newRecordOffset + 1
    Loop
End Sub
```

このマクロを3つのステップに分けてカスタマイズしてみましょう。

> コードの説明部分は、難しいようであれば「とりあえず、そんなものか」
> 程度に捉えていただければOKです。

ステップ①「入力用シートと保存用シートの指定」

最初のステップのカスタマイズ前のコードは、次のようになっています。

▼ カスタマイズ前のステップ①のコード

Chapter10¥Sample03.txt

```
'STEP1：転記元と転記先のセット
Dim inputSheet As Worksheet      '入力用シート
Dim saveSheet As Worksheet       '保存用シート
Dim dataRange As Range           '表形式でデータが入力されているセル範囲
Dim saveFieldRange As Range      '転記先のセル情報
'表形式でデータが入力されているセル範囲を取得
Set inputSheet = Worksheets("入力")
Set dataRange = inputSheet.Range("B13:F23")
'転記先の見出し範囲を取得
Set saveSheet = Worksheets("蓄積")
Set saveFieldRange = saveSheet.Range("B2:J2")
```

このステップ内では、**4つの変数に4つのオブジェクトを代入**しています。変数にオブジェクトを代入する際は、「Setステートメント」を使います（110ページ）。

▼ **4つの変数と代入するオブジェクト**

変数	オブジェクト
inputSheet	転記したいデータの入力を行っているワークシート
saveSheet	入力したデータを転記し、保存するワークシート
dataRange	入力用シート内で、表形式でデータの入力を行っているセル範囲
saveFieldRange	保存用シート内で、表形式の見出しとなっているセル範囲

サンプルブック内のオブジェクトと、元のコード内での変数の対応する位置は、次のようになっています。

▼ **コピー元の転記の「元」と「先」を管理している変数とセル範囲を把握する**

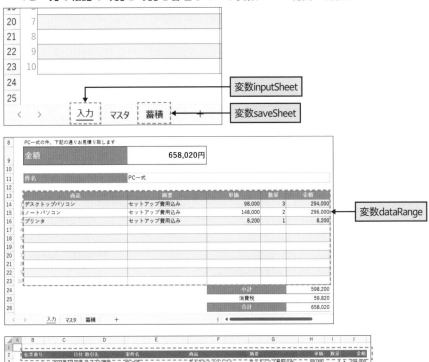

この仕組みを確認したうえで、「使用する伝票」に合わせて4つの変数に代入するワークシートとセル範囲をカスタマイズしていきます。

変数で4つの要素を指定しているのか。僕のブックの入力用シートは「見積書ひな形」。表形式のセル範囲は「B13:F18」だね。そして、保存用シートは現状ないから作らないといけないね。

では「見積書履歴」シートを新規作成して**データの見出し**を作成しましょう。見出しの項目は、自分のシートに合わせてカスタマイズしていきましょう。サンプルにある「件名」や「摘要」は不要ですねけど、「得意先担当者」や「弊社担当者」等は必要ですね。

▼ コピー先の転記の「元」と「先」を確認・追加する

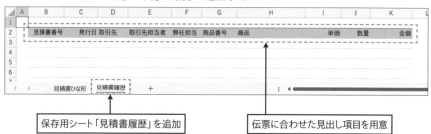

保存用シート「見積書履歴」を追加   伝票に合わせた見出し項目を用意

そうすると、こんな感じだね。まとめると入力用範囲は「見積書ひな形」シートのセル範囲「B13:F18」、保存場所は「見積書履歴」シートの「B2:K2」か。とし、これをコードに反映すればいいんだね。

▼ カスタマイズ後のコード

Chapter10¥Sample04.txt
```
'表形式でデータが入力されているセル範囲を設得
Set inputSheet = Worksheets("見積書ひな形")
Set dataRange = inputSheet.Range("B13:F18")
'転記先の見出し範囲を設得
Set saveSheet = Worksheets("見積書履歴")
Set saveFieldRange = saveSheet.Range("B2:K2")
```

ステップ②「新規データ入力位置取得」

続いてステップ②、カスタマイズ前のコードは次のようになっています。

▼ カスタマイズ前のステップ②のコード

```
'STEP2：新規データ入力位置取得。見出しからのオフセット数を取得
Dim newRecordOffset As Long
newRecordOffset = _
    saveFieldRange.CurrentRegion.Rows.Count
```

このステップでは、新規データを入力する際、その位置を「**見出しセルから何セル分離れた位置（オフセットした位置）に記入するのか**」という考え方で決めています。上記のコードは、ステップ①で変数saveFieldRangeに指定した見出し範囲（「見積書履歴」のセル範囲「B2:K2」）を元に、**アクティブセル領域**（連続してデータの入力されている範囲）の行数を取得し、最新データの入力位置と見出し範囲とのオフセット数（移動分）を取得しています。取得したオフセット数は、変数「newRecordOffset」に代入しておきます。

アクティブセル領域はExcel独特の考え方で、任意のセルを選択して、<kbd>Ctrl</kbd>＋<kbd>Shift</kbd>＋*キーを押して選択されるセル範囲のことです。このセル範囲は、**基準となるRangeオブジェクトのCurrentRegionプロパティ**から取得できます。任意のセルを基準に、表形式のセル範囲を取得する際の定番なので、覚えておくと便利です。

▼ アクティブセル領域の仕組みと新規データの転記位置取得の仕組み

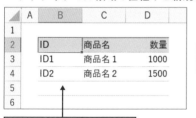

表内の起点セル（セルB2）から
アクティブセル領域を取得

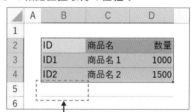

取得セル範囲の行数分だけオフセットした位置
（セルB5）が新規データ入力位置になります。

セル範囲B2:D4にデータを入力して、セルB2で [Ctrl] + [Shift] + [*] と。お、B2:D4が選択されるね。なるほど。この行数を調べれば、「次のデータ」を入力したいセル（セルB5）までのオフセット数がわかるわけだね。

そうですね。また、このステップの内容はそのまま利用できそうなので、特にカスタマイズする場所ありません。次のステップを見ていきましょう。

HINT セル範囲の行数とオフセット位置の求め方

セル範囲の行数は「**セル範囲.Rows.Count**」で取得できます。

Chapter10¥Sample06.txt

```
Range("B2:D4").Rows.Count        ' セル範囲B2：D4は3行なので結果は「3」
```

また、任意セルから指定行数分だけ離れたセル範囲は、「**基準セル範囲.Offset(行数)**」で取得できます。

Chapter10¥Sample07.txt

```
' セルA1から1行分だけ離れた「セルA2」を取得
Range("A1").Offset(1)
' セル範囲B2：D2から3行分だけ離れた「セル範囲B5：D5」を取得
Range("B2:D2").Offset(3)
```

データの入力・転記の処理ではよく使うテクニックなので、覚えておきましょう。

ステップ③「転記」

最後にステップ③。カスタマイズ前のコードは次のようになっています。

▼ カスタマイズ前のステップ③のコード

Chapter10¥Sample08.txt

```
'STEP3：転記
'転記のルール：表形式範囲の1列目をチェックし、値が入っているものを転記
Dim newRecordValues As Variant    '転記する値の配列
Dim dataRow As Long               'チェック対象列番号
dataRow = 2
'2行目・1列目の値からチェック（1行目は見出し）
Do While dataRange.Cells(dataRow, 1).Value <> ""
     '値が入っていた場合、転記する値のリストを作成
     newRecordValues = Array( _
         inputSheet.Range("F1").Value, _
         inputSheet.Range("F2").Value, _
         inputSheet.Range("B4").Value, _
         inputSheet.Range("C11").Value, _
         dataRange.Cells(dataRow, 1).Value, _
         dataRange.Cells(dataRow, 2).Value, _
         dataRange.Cells(dataRow, 3).Value, _
         dataRange.Cells(dataRow, 4).Value, _
```

```
        dataRange.Cells(dataRow, 5).Value _
    )
    '見出しから指定数オフセットしたセル範囲に配列の値を入力
    saveFieldRange.Offset( _
        newRecordOffset, 0).Value = newRecordValues
    '表形式データの空白チェックを行う位置を更新
    dataRow = dataRow + 1
    '書き込み位置のオフセット数を更新
    newRecordOffset = newRecordOffset + 1
Loop
```

このステップでは入力用シート上のデータを、保存用シートへと転記していま
す。転記のルールは「伝票の明細を1行ずつ確認し、入力してある場合は表形式に
なるように整形して転記」というルールです。

この繰り返し処理を、**Do Loopステートメント**（147ページ）で作成しています。
ループごとに伝票の明細セル範囲の1列目の項目が空白であるかどうかを判定し、
値の入力がされている場合には書き込み処理を繰り返し、なくなった時点で処理を
終了します。

▼ 表形式のセル範囲を1行ずつ確認し、入力分だけループ処理を行う

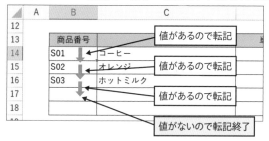

この際、対象としたいセル範囲をわかりやすくするために「相対的なセル範囲の
取得」というテクニックを利用しています。実はVBAでは、次の形式で、「指定範
囲内での、任意の行・列の位置にあるセル」を取得可能です。

相対的なセル範囲の取得

```
セル範囲.Cells(行番号, 列番号)
```

次のコードは、セル範囲「B2:E5」内の「1行・2列回」のセル「C2」を取得します。

▼ セル範囲 B2:E5 内の「1 行・2 列目」のセル「C2」を取得

Chapter10¥Sample09.txt

```
Range("B2:E5").Cells(1, 2)
```

この仕組みを明細セル範囲に利用すると、以下のコードで「明細内での指定行の1列目」のセルが取得できます。

▼ 明細セル範囲内の「指定行の 1 列目」のセルを取得

Chapter10¥Sample10.txt

```
明細セル範囲.Cells(行番号,1)
```

行番号の部分をループ処理内で1つずつ加算していけば、1行ずつ順番にチェックを行ったり、値を取得したりといった処理が作りやすく、そして、わかりやすくなりますね。サンプルではこの仕組みを利用し、ループ処理の条件式のチェックや、ループごとに取得する明細データの位置を変更しながら書き込みを行っています。

▼ ループ処理の大まかなしくみ

Chapter10¥Sample11.txt

```
dataRow = 2      'チェックする行番号（1行目は見出しなので2行目から開始）
Do While dataRange.Cells(dataRow, 1).Value <> ""

    '1行分の書き込みデータを作成して書き込み（後述）

    '表形式データの空白チェックを行う位置を更新
    dataRow = dataRow + 1
    '書き込み位置のオフセット数を更新
    newRecordOffset = newRecordOffset + 1
Loop
```

書き込み位置に関しても、変数で見出しからのオフセット数を管理し、ループごとに「1」行分だけオフセット数を更新する事で新規データの書き込み位置を更新しています。

そして、個々のループでのデータ書きこみ処理は、まず、「1明細分のデータ」を配列（150ページ）の形で整形し、それをまとめて保存用シートに書きこんでいます。

実はVBAでは、「**1行分のセル範囲のValueプロパティに配列を代入すると、まとめて値を書き込む**」仕組みとなっています。

▼ 配列の値は1行分まとめて入力可能

```
Range("A1:C1").Value = Array("りんご", "蜜柑", "レモン")
```

▼ セル範囲 A1:C1 に 3 つの値をまとめて入力

この仕組みを知っていると、表の**1行分のデータの書き込み処理**は、「**まず、書きこみたいデータを配列の形で用意する**」「**次にその配列を書きこみたいセル範囲のValueプロパティに代入する**」という2つの処理に整理できます。

今回書きこみたい「1明細ごとの1行分のデータ」を整理すると、次表のようになります。

▼ 1行分のデータが入力してあるセルの位置

項目	入力用シート上の場所
見積書番号	セル**F4**
発行日	セル**F5**
取引先	セル**B6**
取引先担当者	セル**C7**
弊社担当	セル**F10**
商品番号	表形式で入力した範囲の**1列目**
商品	表形式で入力した範囲の**2列目**
単価	表形式で入力した範囲の**3列目**
数量	表形式で入力した範囲の**4列目**
金額	表形式で入力した範囲の**5列目**

このセル範囲を元に配列を作成する部分のコードをカスタマイズしてみましょう。

サンプルのコードを参考にしてみると、固定のセルの値を指定したい場合には、そのまま「inputSheet.Range("**セル番地**").Value」でいいね。表形式の場所は…、こちらの場合は「dataRange.Cells(dataRow, **列番号**).Value」という形式になるんだね。ということは、こうかな。

▼ **カスタマイズしたコード**

```
Chapter10¥Sample13.txt
newRecordValues = Array( _
    inputSheet.Range("F4").Value, _
    inputSheet.Range("F5").Value, _
    inputSheet.Range("B6").Value, _
    inputSheet.Range("C7").Value, _
    inputSheet.Range("F10").Value, _
    dataRange.Cells(dataRow, 1).Value, _
    dataRange.Cells(dataRow, 2).Value, _
    dataRange.Cells(dataRow, 3).Value, _
    dataRange.Cells(dataRow, 4).Value, _
    dataRange.Cells(dataRow, 5).Value _
)
```

はい。これでひと通り完成ですね。さあ、見積もりを入力して、カスタマイズしたマクロを実行してみましょう。

▼ **自分のブックに合わせてマクロをカスタマイズできた**

▲	A	B	C	D	E	F	G	H	I	J	K
1											
2		見積書番号	発行日	取引先	取引先担当者	弊社担当	商品番号	商品	単価	数量	金額
3		1	2023/8/22	アリス亭	後藤 様	課長	S01	コーヒー	350	40	14,000
4		1	2023/8/22	アリス亭	後藤 様	課長	S02	オレンジ	400	30	12,000
5		1	2023/8/22	アリス亭	後藤 様	課長	S03	ホットミルク	400	60	24,000
6											
7											

見積書ひな形　　見積書履歴　　＋

おおっ！できた！　いろいろ説明も聞いたけど、変えた場所はシート名やセル範囲の指定に、ステップ③の配列の値だけだったね。なるほど。既存マクロの一部を変えるだけでも、結構自分のブックに役立つものができるんだね。

長くて難しそうな内容でも、変更するのはごく一部という場合は多いですよ。特にWebや書籍のサンプルというのは、ある程度カスタマイズすることを前提にしてあるものが多いです。どんどん参考にしてみましょう。

10-03 検索して転記を行う

注目ポイントは「対象データをどうやって探しているのか」の把握

　続いては、保存したデータを読み込む処理です。「保存したデータを読み込む」という作業は整理してみると、**読み込みたいデータの検索**と、**検索したデータの転記**という２つの作業となります。転記は既にマクロ「saveData」のカスタマイズで体験しましたので、今回は「対象データを検索する」パターンを体験してみましょう。

　対応するマクロは「loadData」でしたね（213ページ）。自分のブックの標準モジュールに、マクロ「loadData」の中身をコピーします。このマクロは大きく分けて次の３つのステップで作成されています。

▼ マクロ「loadData」の3つのステップ

ステップ	役割
STEP1：転記元と転記先のセット	転記したい値を入力するワークシート・セルの情報と、転記先となるセルの情報を代入する
STEP2：**対象データの検索**	任意の値を持つデータがあるかどうかを「検索」機能を使ってチェックする
STEP3：転記	見つかったデータを伝票用のシートの指定位置に転記する

　例によって、ステップごとにカスタマイズを進めていきます。

ステップ①「転記元と転記先のセット」

　最初のステップのカスタマイズ前のコードは、次のようになっています。

▼ カスタマイズ前のステップ①のコード

```
                                                        Chapter10¥Sample14.txt
'STEP1：転記元と転記先のセット
Dim inputSheet As Worksheet      '入力用シート
Dim dataRange As Range           '表形式でデータが入力されているセル範囲
Dim keyFieldRange As Range       '検索のキーとなるセル範囲
'表形式でデータが入力されているセル範囲を取得
Set inputSheet = Worksheets("入力")
Set dataRange = inputSheet.Range("B13:F23")
'転記先の見出し範囲（データ保存先の1列目のセル範囲）を取得
Set keyFieldRange = _
    Worksheets("蓄積").Range("B2:J2"). _
        CurrentRegion.Columns(1)
```

このステップ内では、3つの変数に3つのオブジェクトを代入します。

▼ 3つの変数と代入するオブジェクト

変数	オブジェクト
inputSheet	読み込んだデータを表示したい伝票状のシート
dataRange	伝票状のシートのうち明細部分のセル範囲
keyFieldRange	保存したデータの検索対象セル範囲

変数inputSheetと変数dataRangeに関しては、転記処理のステップ①（218ページ）と同じです。また、変数keyFieldRangeには、**検索を行いたいセル範囲**を代入します。サンプルでは、**「見積書の伝票番号の値」を検索する**ルールとなっています。なお、サンプルでは「蓄積」シートの**セル範囲B2:J2**を見出しとするセル範囲のうち、1列目が「伝票番号」列となっており、ここを検索対象セル範囲として指定しています。

▼ 保存データの「1列目」を検索対象として変数にセットしている

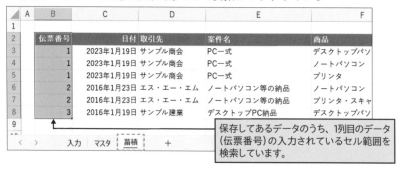

なるほど。僕のブックの場合、「見積書履歴」シートの「**セル範囲B2:K2**」を見出しとしたセル範囲にデータを保存しているわけだから、ここを指定だね。とすると、他の箇所も含めてこうカスタマイズするのかな。

▼ **カスタマイズ後のコード**

Chapter10¥Sample15.txt

```
'表形式でデータが入力されているセル範囲を取得
Set inputSheet = Worksheets("見積書ひな形")
Set dataRange = inputSheet.Range("B13:F18")
'転記先の見出し範囲(データ保存先の1列目のセル範囲)を取得
Set keyFieldRange = _
    Worksheets("見積書履歴").Range("B2:K2"). _
        CurrentRegion.Columns(1)
```

いいですね!ちなみに「セル範囲のうち1列目」を取得するには「セル範囲.Columns(1)」とコードを記述します。「1行目」の場合は「Rows(1)」です。行は「Rows(行番号)」、列は「Columns(列番号)」というルールなんです。

ステップ②「読み込みたいデータの検索」

ステップ②のカスタマイズ前のコードは、次のようになっています。

▼ **カスタマイズ前のステップ②のコード**

Chapter10¥Sample16.txt

```
'STEP2:キーとなるセル範囲について検索
Dim id As Long          '検索値
id = inputSheet.Range("F1").Value
Dim findCell As Range
Set findCell = keyFieldRange.Find(id, lookat:=xlWhole)
'検索値が見つからなかった場合は処理を終了
If findCell Is Nothing Then
    MsgBox "指定した伝票番号のデータはありませんでした"
    Exit Sub
End If
```

このステップでは、「検索」機能を実行する**Findメソッド**（80ページ）を利用して、変数keyFieldRangeに指定したセル範囲から「最初の対象データ」を検索しています。検索値や検索オプションは、Findメソッドの引数で指定します。

```
Set 結果を受け取る変数 = 対象セル範囲.Find(検索値, 検索オプション)
```

▼ Findメソッドの引数(抜粋)

引数	用途
What	検索値を指定
LookAt	検索方法を定数で指定：xlWhole (完全一致) / xlPart (部分一致)

※その他の検索オプションに関する引数については、ヘルプ等で確認して下さい。

検索値が見つかった場合、**戻り値として対象セルのRangeオブジェクト**を返します。見つからなかった場合には「**Nothing**」を返します。このため、「検索値が見つかった場合と見つからなかった場合で処理を分岐する」には、「**戻り値がNothingかどうか**」で判定できます。この仕組みを使った定番の構文は、以下のようになります。

```
Set 変数 = セル範囲.Find(検索値, 検索オプション)
If 変数 Is Nothing Then
      検索値が見つからなかった場合の処理
Else
      検索値が見つかった場合の処理
End If
```

また、「見つからなかった場合はマクロを終了したい」場合には、**その時点でマクロを終了させる「Exit Subステートメント」**を利用するのも定番の1つです。

さて、サンプルでは、検索値として「**inputSheetのセルF1の値**」を指定しています。これは、「入力」シート上の、**伝票番号が入力されているセル**です。

僕のブックの場合、検索したい値である「見積書番号」が入力されているのは、変数inputSheetにセットした「見積書ひな形」の「**セルF4**」か。ここに変更すればOKだね。えっ、これだけでいいの？

▼ カスタマイズしたコード

```
                                            Chapter10¥Sample17.txt
Dim id As Long          '検索値
id = inputSheet.Range("F4").Value
```

はい。コードの仕組みを確認してみると、カスタマイズする箇所って意外に少ないんですよ。多くの場合、「**対象を指定している箇所**」「**値を指定している箇所**」を探し出して、その箇所をカスタマイズしていく形になります。

ステップ③「対象データの転記」

最後のステップのカスタマイズ前のコードは、次のようになっています。

▼ **カスタマイズ前のステップ③のコード**

Chapter10¥Sample18.txt

```
'STEP3：見つかった位置のレコードのデータを転記して再検索
'固定項目を転記
With inputSheet
    .Range("F2").Value = findCell.Offset(0, 1).Value    '発行日
    .Range("B4").Value = findCell.Offset(0, 2).Value    '取引先
    .Range("C11").Value = findCell.Offset(0, 3).Value '案件名
End With
'明細部分を転記して再検索＆転記ループ
Dim tmpRow As Long        '入力する行の番号
tmpRow = 2
Dim firstCell As Range     '最初に値が見つかったセルを保持しておく
Set firstCell = findCell
'現在の明細内容クリア
dataRange.Rows("2:" & dataRange.Rows.Count).ClearContents
Do
    '転記：商品，摘要，単価，数量，金額
    With dataRange
      .Cells(tmpRow, 1).Value = _
          findCell.Offset(0, 4).Value    '商品
      .Cells(tmpRow, 2).Value = _
          findCell.Offset(0, 5).Value    '摘要
      .Cells(tmpRow, 3).Value = _
          findCell.Offset(0, 6).Value    '単価
      .Cells(tmpRow, 4).Value = _
          findCell.Offset(0, 7).Value    '数量
      .Cells(tmpRow, 5).Value = _
          findCell.Offset(0, 8).Value    '金額
    End With
    '再検索し、最初の検索対象と違うセルが見つかる限りはループ
    tmpRow = tmpRow + 1
    Set findCell = keyFieldRange.FindNext(findCell)
Loop While findCell.Address <> firstCell.Address
```

このステップは、ステップ②で検索した値が見つかった場合に続行する部分になります。検索して見つかったセルは、ステップ①で設定した検索先の範囲（keyFieldRange）の1列目のセルですね。このセルから指定列数分だけオフセットした位置にあるセルの値を1つずつ転記しています。

▼ 検索で見つかったセルと同じ行にある値を転記していく

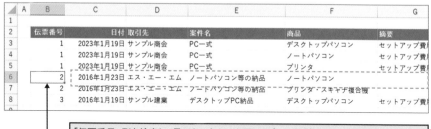

さらに、保存しているデータは1つの伝票につき、複数の明細データを持つ場合があります。そこで、「次を検索」機能を実行する**FindNextメソッド**を利用して再検索を行い、再検索と転記を繰り返しています。

FindNext メソッドの基本的な使い方

```
Set  結果を受け取る変数  =  対象セル範囲.FindNext(再検索の起点セル)
```

▼ FindNextメソッドの引数

引数	用途
After	再検索の起点となるセル

FindNextメソッドは、**直前に実行されたFindメソッドと同じ条件で再検索**を行い、見つかったセルを戻り値として返します。この時、引数Afterに起点となるセルを指定し、起点セルの「次のセル」から再検索を行います。

この仕組みを踏まえ、「すべてを検索」するループ処理を考えると、「最初に見つかったセルを変数に保存しておき、終了条件として、『FindNextで見つかったセルと保存しておいたセルを比較して同じセルだった場合に終了』する処理」を作ればよいことになります。

```
Set 検索セル = セル範囲.Find(検索値, 検索方法)
Set 最初に見つかったセル = 検索セル
Do
    検索セルを利用した処理
    Set 検索セル = セル範囲.FindNext(検索セル)
Loop While 検索セル.Address <> 最初に見つかったセル.Address
```

　同じ値を検索し続ければ、そのうち1周回って最初に見つかったセルに戻ってきますので、それまでループ処理を続けるわけですね。ちょっとややこしい仕組みですが、「検索」機能を利用したい場合の定番の方法です。サンプルでも、この仕組みを利用して検索＆転記を行っています。さて、仕組みがわかったところでカスタマイズしてみましょう。

僕のブックの場合、伝票の固定項目に転記したいのは4項目、明細に転記したい項目は5項目だね。それぞれを対応するセルや、検索したセルからのオフセット数に合わせると、こうなるかな。

▼ 自分のブックの対象セルを確認してカスタマイズしていく

自分のブックに合わせて検索したデータの転記先をカスタマイズしていきます。

233

▼ カスタマイズ後のコード（固定部分）

```
                                                    Chapter10¥Sample19.txt
With inputSheet
    .Range("F5").Value = findCell.Offset(0, 1).Value '発行日
    .Range("B6").Value = findCell.Offset(0, 2).Value '取引先
    .Range("C7").Value = findCell.Offset(0, 3).Value '取引先担当者
    .Range("F10").Value = findCell.Offset(0, 4).Value '弊社担当者
End With
```

▼ カスタマイズ後のコード（明細部分）

```
                                                    Chapter10¥Sample20.txt
With dataRange
    .Cells(tmpRow, 1).Value = _
        findCell.Offset(0, 5).Value '商品番号
    .Cells(tmpRow, 2).Value = findCell.Offset(0, 6).Value '商品
    .Cells(tmpRow, 3).Value = findCell.Offset(0, 7).Value '単価
    .Cells(tmpRow, 4).Value = findCell.Offset(0, 8).Value '数量
    .Cells(tmpRow, 5).Value = findCell.Offset(0, 9).Value '金額
End With
```

うまくカスタマイズできましたね。**コメント部分もちゃんと変更している点も素晴らしいです。**元のコメントを残したままにしておくと、後で見返した時に、意味がわからなくなってしまうこともありますからね。

よし。さっそく試してみよう。いったんマクロ「saveData」を実行して伝票の内容を保存してからクリアして。そして伝票番号だけ入力して「loadData」を実行と。おお！　ちゃんと呼び出せたよ！

これで完成ですね！　ただ、マクロ「loadData」は保存していた「値」を転記する内容なので、明細部分の数式等は上書きされる点には注意して下さいね。

あ、本当だ。そうかあ、そうなると次に新規の伝票を作る時には数式を入れなおさなくちゃいけないのかあ。……待てよ？　確か元のブックには伝票を初期化できるマクロもあったね。それをカスタマイズすればいいのか！

はい。その通りです。本書ではカスタマイズ方法はご紹介しませんが、興味のある方はチャレンジしてみて下さい。ちなみに、サンプルファイルの方には、カスタマイズ済みのコードが保存されていますのでそちらも参考にしてみて下さいね。

10-04 複数シートのデータを集める

注目ポイントは「対象シートのループ処理」

各種帳票や名簿、商品や在庫の管理といったデータが、複数のワークシートやブックに散らばっていることは多くあります。そして、**分散したデータを特定のワークシート上に集める**という作業を行う方も多いでしょう。この作業をテーマとして、カスタマイズのコツを押さえてみましょう。

まずは、自動化を行いたい作業を確認してみましょう。次のように、複数のシートを持ち、シートごとに伝票形式でデータが入力されているブックがあるとします。

▼ **複数のシートに散らばっている伝票状のデータを1つのシートに集計したい**

	A	B	C	D	E	F
1						
2				御見積書		
3						
4					見積書番号	1
5					発行日	2023年1月11日
6		アリス亭　様				株式会社　サンプル○×
7		担当者：　後藤 様				〒○○○-○○　××県××市××
8						電話：999-999-9999
9					担当：課長	
10						
11		御見積金額：　55,000円				
12						
13		商品番号	商品	単価	数量	金額
14		S01	コーヒー	350	40	14,000
15		S02	オレンジ	400	30	12,000
16		S03	ホットミルク	400	60	24,000
17						
18						
19					小計	50,000
20					消費税	5,000
21					合計	55,000

見積書ひな形　**1月アリス亭**　1月びしゃもんや　1月イルカランド　1月北風　＋

> 複数のシートを持ち、シートごとに伝票形式でデータが入力されているブックがあります。

うわあ、僕のいつも使っているブックはまさにこの形式だよ。1枚1枚を入力・確認するのには便利なんだけど、集計したり分析したりするためにデータを集めるのが大変なんだよね。

そういうこと、ありますよね。そんな時には「複数のシートに対して○○する」マクロを探してカスタマイズするのがお勧めです。この手の処理をカスタマイズする場合、注目ポイントがあるんです。

複数のシートに対して処理を行う

　複数のシートに対して一定の処理を行いたい場合の定番処理は、**For Each Nextステートメント**を使った処理です。

For Each Nextステートメントでシートを扱う定番構文

```
Dim シート用変数 As Worksheet
For Each シート用変数 In 扱いたいシートのリスト
    シート用変数を通じた個々のシートに対する処理
Next
```

<samp>サンプルファイル</samp>　Chapter10¥S10_シート全体を集計.xlsm

　例えば、「すべてのシート」に対して「シート名を書き出す」処理と、前ページの5枚のシートを持つブックを開いて実行した結果は次のようになります。

▼ **全てのシート名を書き出すコード**

```
                                            Chapter10¥Sample21.txt
'シートを扱う変数を準備
Dim sh As Worksheet
'アクティブなブックのすべてのシートをループ処理
For Each sh In Worksheets
    '変数を通じて個々のシート名を出力
    Debug.Print sh.Name
Next
```

▼ **実行結果**

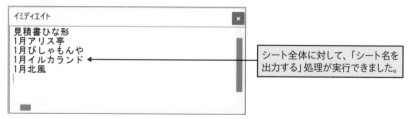

シート全体に対して、「シート名を出力する」処理が実行できました。

このパターンのキモは、「**個々のシートを扱う変数を用意する**」ことと「**扱いたいシートのリストを用意する**」ことです。上記コードの場合、**変数sh**が個々のシートを扱う変数、**Worksheetsプロパティ**が扱いたいシートのリストです。

この2つを用意し、For Each Nextステートメントと組み合わせると、ループするごとに変数shに個別のシートが格納されます。つまり、ループ処理内に変数shを通じてシートを操作するコードを書いておけば、結果として、リストアップしたすべてのシートに対して同じ操作を実行できるというわけです。

シートのリストを作成する定番パターン

扱いたいシートのリストを指定する際には、大きく分けで2つのパターンがあります。1つは「Worksheetsプロパティで全シートを扱う」パターン。もう1つは「扱いたいシートのみからなるリストを別途作成する」パターンです。

● **Worksheetsプロパティで全体を扱うパターン**

最もお手軽なのが、Worksheetsプロパティを利用するパターンです。Worksheetsプロパティは単体で利用すると「アクティブなブックの全シート」のリストを取得できます。つまり、これだけで「シート全体」をあまさずリストアップ可能なのです。便利ですね。

Worksheetsプロパティでシート全体をループ

```
For Each シート用変数 In Worksheets
    シート用変数を通じた個々のシートに対する処理
Next
```

なるほど。全部のシートに対して同じ処理を実行したい場合はこのパターンで書けばいいんだね。でも、「このシートだけは処理対象から外したいなあ」っていう場合には使えないのかな？

よくありますよね。その場合はループ処理のなかでIfステートメントを使って、特定シートの場合は処理を飛ばす形でコードを記述すればOKです。これもよくあるパターンです。

例えば、「『見積書ひな形』シートを除いたシートに同じ処理を実行したい」場合には次のようなコードを記述します（シート用変数を「sh」とします）。

▼ **Worksheetsプロパティでシート全体をループし特定シートを除外**

```
For Each sh In Worksheets
    If Not sh Is Worksheets("見積書ひな形") Then
        'シート用変数shを通じた個々のシートに対する処理
    End If
Next
```

「If Not sh Is Worksheets("見積書ひな形")」の部分が「shが見積書ひな形シートではない場合」という条件式かな。じゃあ、このパターンを見たら、ここを変えれば処理から除外したいシートを変えられるというわけだね。

はい。その通りです。その他、Nameプロパティの値で除外するパターンもよくあります。また、IfステートメントではなくSelect Caseステートメントで判別している場合も見かけますね。どれも「シート全体をループし、ループ内で除外対象を判定する」という考え方になります。

● 最初にシートのリストを作成してしまうパターン

　少し手間がかかりますが定番のパターンとして、最初にシートのリストを作成してしまうパターンもあります。

　次のコードは、2・3・4番目のシートと、「1月北風」シートの合計4つのシートに対してループ処理を行います（シート用変数を「sh」とします）。

▼ **4枚のシートのリストを作成してループ処理**

```
'4つのシートからなるリストを作成して変数にセット
Dim sheetList As Sheets
Set sheetList = Worksheets(Array(2, 3, 4, "1月北風"))
'作成したリストをループ処理
For Each sh In sheetList
    '変数を通じて個々のシート名を出力
    Debug.Print sh.Name
Next
```

▼2・3・4番目のシートと、「1月北風」シートに対してループ処理

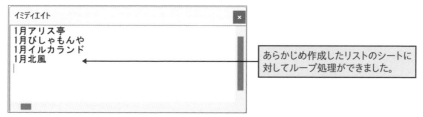

イミディエイト

1月アリス亭
1月びしゃもんや
1月イルカランド
1月北風

あらかじめ作成したリストのシートに
対してループ処理ができました。

へえ。シート全体から除外したいシートが多い場合や、処理したいシートが
決まっている場合は、こっちのパターンで決め打ちでリストを作っちゃった
方が簡単そうだね。

そうなんです。その他にも、リストを作成する処理を独立して書けるので、
きちんと意図した通りのリストが作成できているのかをチェックしやすいと
いうメリットもあるんですよ。

リストを作成するパターンでは、リスト専用の変数を用意し、そこに処理対象と
したいシートをまとめます。リストには、Array関数（152ページ）等を利用した**配
列**や、Worksheetsプロパティの引数に、「シートのインデックス番号、もしくは
シート名の配列」を指定した**シートのリスト**、**SelectedSheetプロパティ**を使っ
た**グループ選択中のシート群**等、さまざまなものが指定可能です。

マクロをパーツ化して整理するテクニック

さて、ここでカスタマイズに便利な仕組みを1つ覚えましょう。それは、**マクロ
に引数を持たせる**仕組みです。

マクロは、マクロ名の後ろのカッコのなかに自由な名前の引数を指定できます。
指定した引数は、マクロ内で変数と同じように扱えます。また、引数には変数と同
様に、データ型（106ページ）を指定することもできます。

マクロに引数を持たせる

```
Sub  マクロ名(引数)
     引数を使った処理
End  Sub
```

239

引数を指定したマクロを呼び出すには、**Callステートメント**（195ページ）の後ろにカッコを付け、そのなかに渡したい引数を指定します。

```
Call マクロ名(引数)
```

次のマクロは、シートを扱う引数shを持つマクロ「printSheetName」を、シート全体に対するループ処理内で呼び出しています。その際、ループ処理中のシートを引数として渡します。結果として、すべてのシートに対してマクロ「printSheetName」を適用します。

▼ 個々のシートに対する処理だけを別のマクロに整理して実行

```
Chapter10¥Sample24.txt
Sub マクロのパーツ化()
    Dim sh As Worksheet
    '全シートをループし、個々のシートを引数にして別のマクロを実行
    For Each sh In Worksheets
        Call printSheetName(sh)
    Next
End Sub

'引数として受け取ったシートのシート名を出力するマクロ
Sub printSheetName(sh As Worksheet)
    Debug.Print sh.Name
End Sub
```

シート全体をループする場合等は、「ループを行うマクロ」と「ループ中の個々のシートに対する処理を行うマクロ」に分けて整理しておくと、わかりやすくなるんです。カスタマイズする際も、この構成になっている場合は2つのマクロをセットで扱うようにしましょう。

複数シートの内容を特定シートに集める例

マクロのパーツ化を行い、複数シートの内容を特定シートに集めるマクロの中身を見てみましょう。サンプルは伝票用のシートを5枚、集計用のシート1枚の、計6枚のシートを持つブックです。このブックのうち、「見積書ひな形」シートと「集計シート」を除いたデータを、「集計シート」に集める処理が作成されています。

▼ 特定シートを除外して伝票データを集計

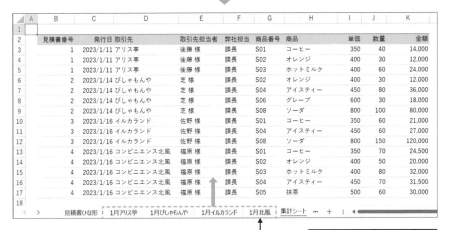

> 先頭と末尾のシートを除いて
> 伝票状のシートのデータを
> 1か所に転記します。

集計用のマクロは、2つのマクロから構成されています。

▼ 2つのマクロ

指定シート集計	集計を開始するメインのマクロ
saveData	個別のシートの集計処理用のパーツ化されたマクロ

▼ 複数シートの内容を特定シートに集める

```
Sub 指定シート集計()
    '保存先の見出しセル範囲を指定
    Dim saveTable As Range
    Set saveTable = Worksheets("集計シート").Range("B2:K2")
    '2つの除外シート以外の内容を保存先に転記
    Dim sh As Worksheet
    For Each sh In Worksheets
        Select Case sh.Name
            Case "見積書ひな形", "集計シート"
                Debug.Print "除外シートです", sh.Name
            Case Else
                Call saveData(sh, saveTable)
        End Select
    Next
End Sub


'引数shのシートの内容を、引数saveTableの位置に転記
Sub saveData(sh As Worksheet, saveTable As Range)
    '受け取った引数を利用した転記処理(省略)
End Sub
```

マクロの大まかな流れは、

①Worksheetsプロパティでシート全体に対してループ処理

②ループ処理内で「見積書ひな形」「集計シート」を処理から除外

③除外シート以外は、対象シートと転記先の見出しとなるセル範囲を引数にして、
　パーツ化したマクロ「saveData」を呼び出し

④パーツ化したマクロ「saveData」で個々のシートを転記

となっています。なお、マクロ「saveData」の内容は、転記を行うパターン(217
ページ)の内容とほぼ同じなので、本文中では割愛しています。

　このような流れを把握しておけば、自分のブックにマクロをカスタマイズして追
加する際に、どこを修正すればよいのかの手がかりになります。処理の対象シート
を変更したい場合は、Worksheetsプロパティで取得しているシートのリスト部分
や、除外処理を行っているSelect Caseステートメント部分を修正します。個々の
シートに対する処理を変更したい場合は、マクロ「saveData」側を修正する、といっ
た形になります。

ふむふむ。大まかな流れを把握して、操作対象を指定している箇所を狙い撃ちすればいいわけだね。じゃあ、集計する時に「集計シート」以外全部を集計対象にしたければ、こうだね。

▼「集計シート」以外を処理対象にする（カスタマイズ前）

Chapter10¥Sample26.txt

```
Select Case sh.Name
    Case "見積書ひな形", "集計シート"
```

▼ カスタマイズ後

Chapter10¥Sample27.txt

```
Select Case sh.Name
    Case "集計シート"
```

はい。その部分ですね。シート全体を対象にマクロを実行できるようになると、作業が一気に楽になります。なにせ、ループ処理を使えばシートが10枚あろうが50枚あろうが、一瞬ですべてを対象に作業が行えちゃいますから。ぜひ、チャレンジしてみて下さい。

10-05

複数ブックに一気にマクロを適用する

注目ポイントは「開いているブックか閉じているブックか」

　最後に、ブック全体に対して処理を行うマクロの定番パターン3つを見てみましょう。基本の考え方はシートの時と同じく、「リストを指定して、ループ処理」なのですが、ブックの場合は「現在開いているブックが対象なのか、それとも、閉じているブックが対象なのか」で大きく処理の流れが変わってきます。

　開いているブックが対象の場合は、**Workbooksプロパティでブックのリストを取得してループ処理**というパターンとなります。次のコードは開いているブックのブック名全てを出力します。

`サンプルファイル`　Chapter10¥S10_ブック全体を操作.xlsm

▼ 開いているブックが対象の時の大まかな流れ

```
                                                    Chapter10¥Sample28.txt
Dim bk As Workbook          'ブックを扱う変数を用意
For Each bk In Workbooks
    Debug.Print bk.Name     '変数bkを通じて個々のブックを操作
Next
```

これはシートの時とほとんど同じだね。シート全体をWorksheetsプロパティで取得していたところが、ブック全体だとWorkbooksプロパティになるわけだね。これなら簡単だね。

閉じているブックは「パスのリストを作成してループ処理」

　閉じているブックが対象の場合は、少し考え方が変わってきます。ブックのリストを作成するのではなく、**ブックのパス（保存先）のリストを作成し、そのパスにあるブックを「開いて、操作してから、閉じる」**という処理をリストのメンバーの数だけ繰り返します。

例えば、次図のように「C:¥excel¥集計用」フォルダーのなかに「支店A.xlsx」「支店B.xlsx」「支店C.xlsx」の3つのブックが保存されているとします。

▼ ブックのパスのリストを作成する

　この時、次のコードは3つのブックを開き、それぞれの1枚目のシートのセルA1に値を入力したうえで、閉じます。

▼ 閉じているブックが対象の時の大まかな流れ

```
                                              Chapter10¥Sample29.txt
Dim pathList As Variant
Dim folderPath As String
'フォルダーのパスを作成
folderPath = "C:¥excel¥集計用¥"
'個々のブックのパスからなるリストを作成
pathList = Array( _
    folderPath & "支店A.xlsx", _
    folderPath & "支店B.xlsx", _
    folderPath & "支店C.xlsx" _
)
'リストに対してループ処理
Dim bookPath As Variant
Dim bk As Workbook
For Each bookPath In pathList
    'パスのブックを開く
    Set bk = Workbooks.Open(bookPath)
    '開いたブックの1枚目のシートに値を入力し、保存して閉じる
    bk.Worksheets(1).Range("A1").Value = "Hello"
    bk.Save
    bk.Close
Next
```

　まず、3つのブックのファイルパスからなるリストを、Array関数を使って配列として作成しています。続いて、作成したパスのリストに対してループ処理を行い、

ループ内では、パスのブックを開き、操作し、閉じています。

個別のブックを開くには、**WorkbooksのOpenメソッドの引数に開きたいブックのパスを指定して実行**します。すると、戻り値として開いたブックを返しますので、あとは**戻り値を通じて開いたブックを操作できる**ようになります。

処理を行いたいブックを変更したい場合は、パスのリストを作成する部分を修正し、個々のブックに対する処理を変更したい場合は、ループ処理内の部分を修正すればいいわけですね。シートの時と同様に、大まかな流れを把握してからカスタマイズしてみましょう。

フォルダー単位でパスのリストを取得しているパターンも

ブック全体に一気にマクロを適用するマクロのなかには、「特定フォルダー内のExcelブック全てを対象リストのメンバーとして扱う」タイプのものも多くあります。

いろいろな方法がありますが、よく使われているパターンは**FileSystemObjectオブジェクト**という仕組みを利用する方法です。次のマクロは、「C:¥excel¥集計用」フォルダー内のExcelブックすべてに対して、1番目のシートのセルA1に値を入力します。

▼ フォルダーを指定するパターン

```
Chapter10¥Sample30.txt
'対象フォルダーを指定
Dim folderPath As String
folderPath = "C:¥excel¥集計用¥"
'FileSystemObjectを利用してフォルダー内のExcelブックに対してループ処理
Dim fso As Object, folder As Object, file As Object
Dim bk As Workbook
Set fso = CreateObject("Scripting.FileSystemObject")
'対象フォルダー取得
Set folder = fso.GetFolder(folderPath)
'フォルダー内のファイルすべてに対してループ処理
For Each file In folder.Files
    '拡張子が「xlsx」であれば操作
    If fso.GetExtensionName(file) = "xlsx" Then
```

```
            'ブックを開く
            Set bk = Workbooks.Open(file)
            '開いたブックの1枚目のシートに値を入力し、保存して閉じる
            bk.Worksheets(1).Range("A1").Value = "Hello"
            bk.Save
            bk.Close
        End If
    Next
```

FileSystemObjectオブジェクトの仕組みはとりあえず置いておいて、注目していただきたいのは、**フォルダーのパスを指定している箇所**です。この手の処理は、処理対処のフォルダーのパスを指定している箇所があります。ここを修正すれば、集計対象としたいフォルダーが変更できます。

例えば次のように、マクロの記述してあるブックのあるフォルダーパスを取得できる「ThisWorkbook.Path」と組み合わせて修正すると、「マクロの記述してあるブックと同じフォルダー内にある『集計用』フォルダー」を集計対象に変更します。

▼ 自ブックと同じフォルダー内の「集計用」フォルダーのパスを作成

Chapter10¥Sample31.txt

```
'対象フォルダーを自ブックと同じフォルダー内の「集計用」フォルダーに設定
Dim folderPath As String
folderPath = ThisWorkbook.Path & "¥集計用¥"
```

また、フォルダー選択ダイアログを表示し、実行時に対象フォルダーを選んでもらうパターンも良くあります。

▼ 実行時にフォルダーを選んでもらう

Chapter10¥Sample32.txt

```
'対象フォルダーを実行時に選択
Dim folderPath As String
With Application.FileDialog(msoFileDialogFolderPicker)
    .Title = "集計したいブックのあるフォルダーを選択して下さい"
    If .Show = -1 Then
        '選択フォルダーのパスを取得
        folderPath = .SelectedItems(1)
    Else
        MsgBox "選択がキャンセルされました"
        Exit Sub
    End If
End With
```

▼ 実行時にフォルダーを選択できる

実行時に処理対象のフォルダーを選択する
ダイアログが表示されます。

　このパターンでは、多くの場合、**選択したフォルダーのパスを、専用の変数に代入している箇所**があるかと思います。コメントを参考にしたり、ステップ実行で確認したりといった方法でフォルダーパスを格納している変数を把握し、その後の処理の流れを追って把握できるようにしましょう。

よくあるミスが、フォルダーパスを格納している変数がどれかわからずに、フォルダー選択後のコードで別のパスを再代入してしまうミスです。そうなると、せっかく実行時にフォルダーを選択しても、毎回同じパスに上書きされてしまい、処理対象のフォルダーが選べなくなってしまうんです。

なるほどね。流れを把握できていないと、修正しなくてもいい所を修正してしまって動きがおかしくなるかもしれないってわけだね。

はい。カスタマイズする際には、まずはバックアップを取っておいて、うまくいかなかったらアンドゥ機能で元に戻したり、バックアップから復元できるようにしておくと、元の状態からやりなおしができて安心ですよ。

　複数ブックを一気に処理するマクロは、複数シートを一気に処理するマクロと同じく、いえ、それ以上に強力な味方になってくれます。最初は難しいかと思いますが、是非是非、チャレンジしてみて下さい。

さてさて、これで一通りのVBAの仕組みとカスタマイズのコツの説明は終了です。先輩、読者の皆様、お疲れ様でした。いかがでしたか？

いやあ、お疲れ様！　なんだかんだで結構新しいことを覚えたよ。これで遅くまでExcelと睨めっこすることがなくなると嬉しいんだけど、とりあえずは始めてみるとするよ。

はい。ぜひ試してみて下さい。コツはですね、少しずつ試して、確認することです。ちょっと変えて、試す。そしてうまくいったら次を修正、です。段階を踏むことで堅実に修正できて、しかも、毎回ちょっとした成功気分が味わえて楽しいんですよ。

これで本書の内容はすべて終了です。お疲れ様でした。皆様の業務が少しでもVBAによって楽になることを願います。そして、VBAを肴に、おいしいお酒が飲める仲間が増えることを切に願います。それでは皆様、失礼いたします。

Index

著者紹介

古川 順平（ふるかわ じゅんぺい）

静岡大学大学院人文社会科学研究科法律経済専攻卒。富士山麓でテクニカルライター兼インストラクターとして活躍中。趣味はサウナ巡りと散歩後の地ビール。

▶ **本書のサポートページ**

https://isbn2.sbcr.jp/21346/

- 本書をお読みいただいたご感想を上記URLからお寄せください。
- 上記URLに正誤情報、サンプルダウンロードなど、本書の関連情報を掲載しておりますので、あわせてご利用ください。

楽して仕事を効率化する Excel マクロ入門教室

2023年 7月 6日　初版第1刷発行

著　者	古川 順平
発行者	小川 淳
発行所	SBクリエイティブ株式会社
	〒106-0032 東京都港区六本木2-4-5
	https://www.sbcr.jp/
装　幀	西垂水 敦 (krran)
本文デザイン・組版	クニメディア株式会社
本文イラスト	ふかざわあゆみ
印　刷	株式会社シナノ

Printed in Japan　ISBN 978-4-8156-2134-6